CB019749

A FESTA DA INSIGNIFICÂNCIA

MILAN KUNDERA

A FESTA DA INSIGNIFICÂNCIA

Romance

Tradução
TERESA BULHÕES CARVALHO DA FONSECA

9ª reimpressão

COMPANHIA DAS LETRAS

Grafia atualizada segundo o Acordo Ortográfico da Língua Portuguesa de 1990, que entrou em vigor no Brasil em 2009.

Título original
La Fête de l'insignifiance

Capa
Alceu Chiesorin Nunes

Imagem de capa
Dominique Corbasson/ cwc-i.com

Preparação
Márcia Copola

Revisão
Isabel Jorge Cury
Valquíria Della Pozza

Dados Internacionais de Catalogação na Publicação (CIP)
(Câmara Brasileira do Livro, SP, Brasil)

Kundera, Milan
A festa da insignificância : romance / Milan Kundera; tradução Teresa Bulhões Carvalho da Fonseca — 1ª ed. — São Paulo : Companhia das Letras, 2014.

Título original: La Fête de l'insignifiance.
ISBN 978-85-359-2466-4

1. Romance tcheco I. Título.

14-05795 CDD-891.863

Índice para catálogo sistemático:
1. Romance : Literatura tcheca 891.863

EDITORA SCHWARCZ S.A.
Rua Bandeira Paulista, 702, cj. 32
04532-002 — São Paulo — SP
Telefone: (11) 3707-3500
www.companhiadasletras.com.br
www.blogdacompanhia.com.br
facebook.com/companhiadasletras
instagram.com/companhiadasletras
twitter.com/cialetras

Sumário

PRIMEIRA PARTE
Os heróis se apresentam

Alain pensa sobre o umbigo

Era o mês de junho, o sol da manhã surgia das nuvens e Alain caminhava lentamente por uma rua parisiense. Ele observava as moças que, todas, mostravam o umbigo entre a calça de cintura muito baixa e a camiseta cortada muito curta. Estava encantado; encantado e até mesmo perplexo: como se o poder de sedução delas não se concentrasse mais nas coxas, nem na bunda, nem nos seios, mas naquele pequeno buraco redondo situado no meio do corpo.

Isso o incitou a refletir: se um homem (ou uma época) vê o centro da sedução feminina nas coxas, como descrever e definir a particularidade dessa orientação erótica? Improvisou uma resposta: o comprimento das coxas é a imagem metafórica do caminho, longo e fascinante (é por isso que as coxas devem ser longas), que leva à realização erótica; de fato, pensou Alain, mesmo no meio do coito, o comprimento das coxas empresta à mulher a magia romântica do inacessível.

Se um homem (ou uma época) vê o centro da sedução feminina na bunda, como descrever e definir a particularidade dessa orientação erótica? Improvisou uma resposta: brutalidade; alegria; o caminho mais curto em direção ao objetivo; objetivo ainda mais excitante porque duplo.

Se um homem (ou uma época) vê o centro da sedução feminina nos seios, como descrever e definir a particularidade dessa orientação erótica? Improvisou uma resposta: santificação da mulher; a Virgem Maria amamentando Jesus; o sexo masculino ajoelhado diante da nobre missão do sexo feminino.

Mas como definir o erotismo de um homem (ou de uma época) que vê a sedução feminina concentrada no meio do corpo, no umbigo?

Ramon passeia no Jardim de Luxemburgo

Mais ou menos no mesmo instante em que Alain refletia sobre as diferentes fontes de sedução feminina, Ramon se encontrava perto do museu situado bem próximo ao Jardim de Luxemburgo, onde estavam expostos, já fazia um mês, quadros de Chagall. Queria vê-los, mas sabia de antemão que não encontraria forças para se deixar transformar de bom grado numa parte daquela interminável fila que lentamente se arrastava em direção ao caixa; observou as pessoas, as fisionomias paralisadas pelo tédio, imaginou as salas, onde seus corpos e seus comentários cobririam os quadros, de modo que um minuto depois se virou e foi passear numa aleia do parque.

Lá, a atmosfera estava mais agradável; o gênero humano parecia menos numeroso e mais livre: havia os que corriam, não porque estivessem apressados, mas porque gostavam de correr; havia os que passeavam e tomavam sorvete; havia no gramado discípulos de uma escola asiática que faziam movimentos bizarros e lentos; mais adiante, no imenso círculo, havia grandes estátuas brancas de rainhas e de outras nobres damas de França, e, ainda mais adiante, no gramado entre as árvores, em todas as direções do parque, esculturas de poetas, de pintores, de sábios; parou na frente de um adolescente mulato que, sedutor, nu sob um calção curto, lhe ofereceu máscaras que representavam o rosto de Balzac, de Berlioz, de Hugo, de Dumas. Ramon não pôde conter um sorriso e continuou seu passeio naquele jardim de gênios que, modestos, cercados pela gentil indiferença dos passantes, deviam se sentir agradavelmente livres; ninguém parava para observar o rosto deles ou ler as inscrições nos pedestais. Essa indiferença, Ramon a respirava como a uma calma que consola. Pouco a pouco, um largo sorriso quase feliz apareceu em seu rosto.

O câncer não acontecerá

Mais ou menos no mesmo instante em que Ramon renunciava à exposição de Chagall e preferia passear no parque, D'Ardelo subia a escada que levava ao consultório de seu médico. Estávamos, naquele dia, a exatamente três semanas do aniversário dele. Já muitos anos antes, ele tinha começado a detestar os aniversários. Por causa dos números que se colavam neles. No entanto, não conseguia esnobá-los, pois a felicidade de ser festejado superava nele a vergonha de envelhecer. Ainda mais que, dessa vez, a visita ao médico acrescentava à festa uma nova cor. Pois era hoje que ele iria conhecer os resultados de todos os exames que lhe diriam se os sintomas suspeitos descobertos em seu corpo se deviam ou não ao câncer. Entrou na sala de espera e repetiu interiormente, com voz trêmula, que dali a três semanas festejaria ao mesmo tempo o nascimento tão distante e a morte tão próxima; que celebraria uma festa dupla.

Assim que viu o rosto sorridente do médico, compreendeu que a morte tinha se desconvidado. O médico apertou-lhe fraternalmente a mão. Com lágrimas nos olhos, D'Ardelo não pôde pronunciar uma só palavra.

O consultório do médico ficava na avenida do Observatório, a cerca de duzentos metros do Jardim de Luxemburgo. Como D'Ardelo morava numa pequena rua do outro lado do parque, ele o atravessou novamente. O passeio pelo verde tornou o seu bom humor quase incontrolável, sobretudo quando ele deu a volta no grande círculo formado pelas estátuas das antigas rainhas da França, todas esculpidas em mármore branco, de pé, em poses solenes que lhe pareceram engraçadas, quase alegres, como se aquelas damas também quisessem comemorar a boa notícia que acabara de receber. Não conseguindo se conter, ele as saudou duas ou três vezes com a mão erguida e desatou a rir.

O charme secreto de uma doença grave

Foi em algum lugar por ali, nas proximidades das grandes damas de mármore, que Ramon encontrou D'Ardelo, que, um ano antes, ainda era seu colega numa instituição cujo nome não nos interessa. Pararam um em frente ao outro e, depois das saudações habituais, D'Ardelo, com uma voz estranhamente excitada, começou a contar:

— Amigo, você conhece La Franck? Há dois dias seu grande amor morreu.

Ele fez uma pausa, e na memória de Ramon apareceu o rosto de uma bela mulher famosa que ele conhecia apenas de fotografias.

— Uma agonia muito dolorosa — continuou D'Ardelo. — Ela viveu tudo com ele. Ah, como ela sofreu!

Interessado, Ramon olhou para o rosto alegre que contava uma história fúnebre.

— Imagine que na noite do mesmo dia em que, de manhã, ele morria em seus braços, ela jantou comigo e com alguns amigos, e, você não vai acreditar, estava quase contente! Eu a admirei! Aquela força! Aquele amor pela vida! Com os olhos ainda vermelhos de choro, ela ria! E, no entanto, nós todos sabíamos como ela o amara! Como deve ter sofrido! Aquela mulher tem uma força!

Exatamente como quinze minutos antes no médico, as lágrimas brilharam nos olhos de D'Ardelo. Pois, ao falar da força moral de La Franck, ele pensava em si mesmo. Não tinha ele vivido também um mês inteiro na presença da morte? A força de seu caráter não teria também passado por uma rude prova? Mesmo transformado numa simples lembrança, o câncer continuava com ele como a luz de uma pequena lâmpada que, misteriosamente, o encantava. Mas conseguiu dominar seus sentimentos e assumiu um tom mais prosaico:

— A propósito, se não me engano, você conhece alguém que sabe organizar coquetéis, cuidar das comidas e de tudo mais.

— É verdade — disse Ramon.

E D'Ardelo:

— Vou fazer uma pequena festa no meu aniversário.

Depois dos comentários excitados sobre a famosa Franck, o tom leve da última frase permitiu que Ramon sorrisse:

— Estou vendo que sua vida está divertida.

Curioso; essa frase não agradou a D'Ardelo. Como se o tom muito leve anulasse a estranha beleza de seu bom humor magicamente marcado pelo páthos da morte cuja lembrança não deixava de existir dentro dele:

— É, estou bem — disse, e depois de uma pausa acrescentou: — ... mesmo que...

Fez mais uma pausa, depois:

— Sabe, acabo de voltar do médico.

O constrangimento no rosto de seu interlocutor agradou-lhe; prolongou o silêncio, de modo que Ramon teve que perguntar:

— E então? Algum problema?

— Sim.

Mais uma vez D'Ardelo se calou, e mais uma vez Ramon teve que perguntar:

— Que foi que o médico disse?

Foi nesse momento que D'Ardelo viu nos olhos de Ramon seu próprio rosto como num espelho: o rosto de um homem já velho, mas ainda bonito, marcado por uma tristeza que o tornava ainda mais atraente; pensou que aquele belo homem triste em breve iria celebrar seu aniversário e a ideia que ele tinha alimentado antes da visita ao médico lhe veio novamente à cabeça, a ideia encantadora de uma festa dupla celebrando ao mesmo tempo o nascimento e a morte. Continuou a se observar nos olhos de Ramon, depois, com uma voz muito calma e muito suave, disse:

— Câncer...

Ramon gaguejou alguma coisa e, desajeitadamente, fraternalmente, encostou uma das mãos no braço de D'Ardelo:

— Mas isso tem tratamento...

— Tarde demais, infelizmente. Mas esqueça o que acabei de dizer, e não conte a ninguém; prefiro que pense no meu coquetel. É preciso viver! — disse D'Ardelo, e, antes de seguir seu caminho, como despedida levantou a mão e, nesse gesto discreto, quase tímido, havia um charme inesperado que emocionou Ramon.

Mentira inexplicável, inexplicável riso

O encontro dos dois antigos colegas terminou com esse belo gesto. Mas não posso evitar uma pergunta: por que D'Ardelo tinha mentido?

Essa pergunta, o próprio D'Ardelo fez a si mesmo logo depois e nem ele soube a resposta. Não, não tinha vergonha de ter mentido. O que o intrigava era sua incapacidade de compreender a razão daquela mentira. Normalmente, se mentimos é para enganar alguém e tirar disso uma vantagem qualquer. Mas o que ele podia ganhar ao inventar um câncer? Curiosamente, pensando na falta de sentido de sua mentira, não conseguiu segurar o riso. E aquele riso, também ele, era incompreensível. Por que ele ria? Acharia cômico tal comportamento? Não. O senso do cômico, aliás, não era o forte dele. Apenas, sem saber por quê, o câncer imaginário o alegrava. Ele prosseguiu seu caminho e continuou rindo. Ria e se alegrava com seu bom humor.

Ramon visita Charles

Uma hora depois de seu encontro com D'Ardelo, Ramon já estava na casa de Charles.

— Trago um coquetel de presente para você — disse ele.

— Bravo! Este ano vamos precisar — disse Charles, que convidou o amigo a sentar-se em frente a uma mesa baixa diante dele.

— Um presente para você. E para Calibã. Aliás, onde está ele?

— Onde deveria estar? Na casa da mulher dele.

— Mas espero que, para os coquetéis, ele fique com você.

— Claro. Os teatros estão pouco se lixando para ele.

Ramon viu, em cima da mesa, um livro bem grosso. Inclinou-se e não conseguiu esconder sua surpresa:

— *Memórias* de Nikita Khruschóv. Por quê?

— Foi nosso professor que me deu.

— Mas o que o nosso professor pôde ter achado de interessante nesse livro?

— Ele sublinhou alguns parágrafos para mim. O que eu li era muito engraçado.

— Engraçado?

— A história das vinte e quatro perdizes.

— Quê?

— A história das vinte e quatro perdizes. Você não conhece? No entanto, foi aí que a grande mudança do mundo começou!

— A grande mudança do mundo? Nada menos que isso?

— Nada menos. Mas me diga, que coquetel e na casa de quem?

Ramon lhe explicou e Charles perguntou:

— E quem é esse D'Ardelo? Um cretino como todos os meus clientes?

— Claro.

— Sua cretinice é de que gênero?

— De que gênero é sua cretinice... — repetiu Ramon, pensativo; depois: — Você conhece Quaquelique?

A lição de Ramon sobre o brilhante e o insignificante

— Meu velho amigo Quaquelique — continuou Ramon — é um dos maiores conquistadores que já conheci. Uma vez, fui a uma festa em que estavam os dois, D'Ardelo e ele. Não se conheciam. Apenas por acaso se encontravam no mesmo salão repleto e D'Ardelo provavelmente nem mesmo tinha notado a presença de meu amigo. Havia ali mulheres belíssimas e D'Ardelo ficou enlouquecido. Estava disposto a fazer o impossível para que se interessassem por ele. Naquela noite estava especialmente espirituoso.

— Provocador?

— Ao contrário. Mesmo suas gozações são sempre moralistas, otimistas, corretas, mas ao mesmo tempo formuladas com tanta elegância, tão afetadas, difíceis de compreender que chamam atenção sem provocar um eco imediato. É preciso aguardar três ou quatro segundos para que ele próprio desate a rir, depois esperar mais alguns segundos para que os outros as compreendam e se juntem educadamente a ele. Então, no momento em que todo mundo começa a rir... e te peço que entenda esse requinte!... ele fica sério; como que desinteressado, quase distante, observa as pessoas e, secretamente, vaidosamente, se regala com o riso delas. O comportamento de Quaquelique é exatamente o oposto. Não que ele seja quieto. Quando está no meio dos outros, ele murmura sem parar alguma coisa com sua voz fraca que sibila mais do que fala, mas nada do que diz chama atenção.

Charles ri.

— Não ria. Falar sem chamar atenção não é fácil! Estar sempre presente com sua palavra e, no entanto, continuar não sendo ouvido, isso exige virtuosismo!

— O sentido desse virtuosismo me escapa.

— O silêncio chama atenção. Pode impressionar. Te tornar enigmático. Ou suspeito. E é precisamente isso que Quaquelique quer evitar. Como por ocasião da festa a que me refiro. Estava ali uma mulher muito bonita que fascinava D'Ardelo. De vez em quando, Quaquelique se dirigia a ela com um comentário inteiramente banal, desinteressante, nulo, mas agradável, pois não exigia dela nenhuma resposta inteligente, nenhuma presença de espírito. Depois de certo tempo, constato que Quaquelique não está mais lá. Intrigado, observo a mulher. D'Ardelo acabara de pronunciar uma de suas tiradas, seguiu-se o silêncio de cinco segundos, então ele desatou a rir e, depois de três outros segundos, os demais o imitaram. Nesse instante, escondida atrás do biombo do riso, a mulher se afastou para a saída. D'Ardelo, envaidecido pelo eco que suas tiradas tinham provocado, continuou com as exibições verbais. Um pouco mais tarde ele notou que a bela mulher não estava mais lá. E, porque não sabia da existência de um Quaquelique, não pôde compreender o desaparecimento dela. Não entendeu nada, e ainda hoje não entende nada do valor da insignificância. Eis minha resposta à sua pergunta sobre o gênero da cretinice de D'Ardelo.

— A inutilidade de ser brilhante, sim, eu entendo.

— Mais que inutilidade. Nocividade. Quando um sujeito brilhante tenta seduzir uma mulher, ela acha que tem que entrar em competição. Também se sente obrigada a brilhar. A não se entregar sem resistência. Ao passo que a insignificância a libera. A liberta das precauções. Não exige nenhuma presença de espírito. A torna despreocupada e, portanto, mais acessível. Mas continuemos. Com D'Ardelo, você não está diante de um insignificante, mas de um Narciso. E preste atenção no sentido exato dessa palavra: um Narciso não é um orgulhoso. O orgulhoso despreza os outros. Os subestima. O Narciso os superestima, porque observa nos olhos de cada um sua própria imagem e quer embelezá-la. Cuida, assim, gentilmente de todos os seus espelhos. E é isso que conta para vocês dois: ele é gentil. Claro, para mim é sobretudo um esnobe. Mas mesmo entre mim e ele alguma coisa mudou. Soube que ele estava gravemente doente. E, desde então, o vejo de modo diferente.

— Doente? De quê?

— Câncer. Fiquei surpreso de constatar a que ponto isso me entristeceu. Talvez ele esteja vivendo seus últimos meses.

Em seguida, depois de uma pausa:

— Fiquei comovido com a maneira como ele me contou... muito lacônica, quase pudica... sem demonstrar nenhum sofrimento, sem narcisismo algum. E de repente, talvez pela primeira vez, senti por aquele cretino uma verdadeira simpatia... uma verdadeira simpatia...

SEGUNDA PARTE
O teatro de marionetes

As vinte e quatro perdizes

Depois de suas longas e exaustivas jornadas, Stálin gostava de ficar ainda algum tempo com os colaboradores dele e descansar contando-lhes pequenas histórias de sua vida. Por exemplo, esta:

Um dia, ele resolve ir caçar. Veste a velha parca, calça os esquis, apanha um grande fuzil e percorre treze quilômetros. Então, vê, na sua frente, umas perdizes pousadas numa árvore. Para e conta quantas são. Vinte e quatro. Mas que azar! Só trouxe doze balas! Atira, mata doze, dá a volta, torna a cobrir os treze quilômetros até sua casa e pega mais uma dúzia de balas. De novo percorre os treze quilômetros para tornar a encontrar as mesmas doze perdizes pousadas na mesma árvore. Finalmente mata todas...

— Gostou? — pergunta Charles a Calibã, que ri:

— Se fosse realmente Stálin que tivesse me contado isso, eu o aplaudiria! Mas de onde você tirou essa história?

— Nosso professor me trouxe de presente este livro aqui, as *Memórias* de Khruschóv, editado na França já faz muito tempo. Nele Khruschóv conta a história das perdizes como Stálin tinha contado a seu pequeno grupo. Mas segundo o que Khruschóv escreveu, ninguém reagiu como você. Ninguém riu. Todos sem exceção achavam absurdo o que Stálin acabara de contar e estavam chocados com sua mentira. No entanto, calaram-se e só Khruschóv teve coragem de dizer a Stálin o que pensava. Escute!

Charles abriu o livro e leu lentamente, em voz alta:

— "Quê? Você quer mesmo dizer que as perdizes não tinham saído do galho?", disse Khruschóv. "Perfeitamente", respondeu Stálin, "continuavam pousadas no mesmo lugar." Mas a história não acabou, pois é preciso que você saiba que no fim de suas jornadas de trabalho iam todos juntos ao banheiro, uma grande sala que servia também de toalete. Imagine. Numa parede uma longa fileira de mictórios, na parede em frente as pias. Mictórios em forma de concha, em cerâmica, todos coloridos, ornamentados com motivos florais. Cada membro do grupo de Stálin tinha seu próprio mictório criado e assinado por um artista diferente. Só Stálin não tinha.

— E ele urinava onde?

— Num banheiro solitário, do outro lado do edifício; e como ele urinava sozinho, nunca com seus colaboradores, estes, nos toaletes, ficavam divinamente livres e enfim ousavam dizer em voz alta tudo aquilo que eram obrigados a calar na presença do chefe. Especialmente no dia em que Stálin contou a história das vinte e quatro perdizes. Vou te citar ainda Khruschóv: "... enquanto lavávamos as mãos, no banheiro, cuspíamos de desprezo. Ele mentia! Ele mentia! Nenhum de nós duvidava disso".

— E era quem, esse Khruschóv?

— Alguns anos depois da morte de Stálin ele se tornou o chefe supremo do Império Soviético.

Depois de uma pausa Calibã disse:

— A única coisa que me parece inacreditável em toda essa história é que ninguém entendeu que Stálin estava brincando.

— Claro — disse Charles, e pôs o livro na mesa. — Pois ninguém em torno dele sabia mais o que era uma brincadeira. E é por isso, a meu ver, que um novo grande período da história se anunciava.

Charles sonha com uma peça para o teatro de marionetes

No meu vocabulário de ateu, uma única palavra é sagrada: a amizade. Os quatro companheiros que lhes apresentei: Alain, Ramon, Charles e Calibã, eu os amo. Foi por simpatia com eles que um dia trouxe o livro de Khruschóv para Charles a fim de que todos se divertissem.

Todos os quatro já conheciam a história das perdizes, inclusive seu final magnífico nos toaletes, quando um dia Calibã se queixou a Alain:

— Encontrei sua Madeleine. Contei-lhe a história das perdizes. Mas para ela era apenas uma anedota incompreensível a respeito de um caçador! O nome de Stálin, talvez, ela conhecesse vagamente, mas não entendia por que um caçador usava esse nome...

— Ela tem apenas vinte anos — disse Alain gentilmente para defender a namorada.

— Se for contar bem — interveio Charles —, sua Madeleine nasceu uns quarenta anos depois da morte de Stálin. Eu nasci dezessete anos depois da morte dele. E você, Ramon, quando Stálin morreu... — fez uma pausa para calcular, depois, com algum embaraço: — meu Deus, você já tinha nascido!

— Tenho vergonha, mas é verdade.

— Se não me engano — continuou Charles, sempre se dirigindo a Ramon —, seu avô assinou com outros intelectuais uma petição para apoiar Stálin, o grande herói do progresso.

— É — admitiu Ramon.

— Seu pai, imagino, já estava um pouco cético em relação a ele, tua geração mais ainda, e para a minha ele havia se tornado o criminoso dos criminosos.

— Sim, é assim mesmo — disse Ramon. — As pessoas se encontram na vida, conversam, discutem, brigam, sem perceber que se dirigem uns aos outros de longe, cada um de um observatório situado num lugar diferente no tempo.

Depois de uma pausa, Charles disse:

— O tempo corre. Graças a ele, em primeiro lugar estamos vivos, o que quer dizer: acusados e julgados. Depois, morremos, e continuamos ainda alguns anos com aqueles que nos conheceram, mas não demora a ocorrer outra mudança: os mortos se tornam velhos mortos, ninguém se lembra mais deles e eles desaparecem no nada; apenas alguns, raríssimos, deixam seus nomes nas memórias, mas, privados de todo testemunho autêntico, de toda lembrança real, transformam-se em marionetes... Meus amigos, estou fascinado com essa história que Khruschóv conta em suas *Memórias*, e não consigo desistir da vontade de inventar uma peça baseada nela para o teatro de marionetes.

— Teatro de marionetes? Você não quer ser representado na Comédie-Française? — caçoou Calibã.

— Não — disse Charles —, porque se essa história

de Stálin e Khruschóv fosse representada por seres humanos, seria uma mistificação. Ninguém tem o direito de restituir uma vida humana que não existe mais. Ninguém tem o direito de criar um homem a partir de uma marionete.

A revolta nos toaletes

— Eles me fascinam, esses camaradas de Stálin — continuou Charles. — Eu os imagino gritando revoltados nos toaletes! Tinham esperado tanto por esse grande momento em que poderiam finalmente dizer em voz alta tudo que pensavam. Mas havia nisso alguma coisa de que não duvidavam: Stálin os observava e esperava aquele momento com a mesma impaciência! O momento em que toda a sua turma ia aos toaletes também era uma delícia para ele! Meus amigos, eu o estou vendo! Discretamente, na ponta dos pés, ele atravessa um longo corredor, depois encosta o ouvido na porta dos toaletes e escuta. Os heróis do Politburo gritam, pulam, o xingam, e ele ouve e ri. "Ele mentiu! Ele mentiu!", urra Khruschóv, sua voz ecoa, e Stálin, com o ouvido colado na porta, ah, eu o estou vendo, eu o estou vendo, Stálin saboreia a indignação moral de seu camarada, desata a rir como um louco e nem mesmo tenta conter o volume sonoro de seu riso, porque aqueles que estão nos toaletes, também gritando como loucos, não podem ouvi-lo no meio da barulheira que fazem.

— É, você já nos contou — disse Alain.

— Sim, sei disso. Mas o mais importante, ou seja, a verdadeira razão pela qual Stálin gostava de se repetir e contava sempre a mesma história das vinte e quatro perdizes a seu mesmo pequeno público, eu ainda não disse. E é aí que vejo a trama principal da minha peça.

— E qual era essa razão?

— Kalinin.

— Quê? — perguntou Calibã.

— Kalinin.

— Nunca ouvi esse nome.

Apesar de ser só um pouco mais novo do que Calibã, Alain, mais letrado, sabia:

— Certamente aquele a partir do qual foi rebatizada uma célebre cidade da Alemanha, onde Immanuel Kant viveu toda a sua vida e que, hoje, se chama Kaliningrado.

Nesse momento, ouviu-se uma buzina que tocava forte, impaciente, na rua.

— Tenho que deixá-los — disse Alain. — Madeleine me espera. Até a próxima!

Madeleine o esperava na rua numa motocicleta. A moto era de Alain, mas eles a compartilhavam.

No encontro seguinte, Charles faz para seus amigos uma conferência sobre Kalinin e sobre a capital da Prússia

— Desde suas origens, a célebre cidade da Prússia chamava-se Königsberg, que significa a "montanha do rei". Só depois da última guerra ela se tornou Kaliningrado. *Grado* em russo significa "cidade". Portanto, a cidade de Kalinin. O século ao qual tivemos a sorte de sobreviver era louco por rebatismos. Rebatizaram Tsarítsin de Stalingrado, depois Stalingrado de Volgogrado. Rebatizaram São Petersburgo de Petrogrado, depois Petrogrado de Leningrado, e por fim Leningrado de São Petersburgo. Rebatizaram Chemnitz de Karl-Marx-Stadt, depois Karl-Marx-Stadt de Chemnitz. Rebatizaram Königsberg de Kaliningrado... mas atenção: Kaliningrado continuou e continuará para sempre irrebatizável. A glória de Kalinin terá suplantado todas as outras glórias.

— Mas quem era ele? — indagou Calibã.

— Um homem — prosseguiu Charles — sem nenhum poder real, um pobre fantoche inocente, e que, no entanto, foi durante muito tempo presidente do

Soviete Supremo, portanto, do ponto de vista protocolar, o maior representante do Estado. Vi sua fotografia: um velho militante operário com um cavanhaque pontudo, metido num paletó mal cortado. Ora, Kalinin já estava velho e a próstata aumentada o obrigava a urinar toda hora. A pulsão urinária era sempre tão brusca e tão forte que ele tinha que correr para um mictório mesmo durante um almoço oficial ou no meio de um discurso que pronunciava diante de um grande auditório. Ele havia adquirido uma grande prática. Até hoje, a Rússia inteira se lembra de uma grande festa que aconteceu na inauguração de um novo teatro de ópera numa cidade da Ucrânia, na qual Kalinin pronunciou um longo e solene discurso. Era obrigado a se interromper a cada dois minutos e, toda vez que ele se afastava do púlpito, a orquestra começava a tocar alguma música folclórica e belas bailarinas ucranianas louras surgiam no palco e se punham a dançar. Voltando para o púlpito, Kalinin era sempre acolhido com aplausos; quando saía de novo, os aplausos ressoavam ainda mais fortes para saudar a chegada das bailarinas louras; e à medida que a frequência de suas saídas e de seus retornos aumentava, os aplausos se tornavam mais longos, mais fortes, mais cordiais, de modo que a celebração oficial se transformava num clamor alegre, louco, orgástico, como o Estado soviético jamais conhecera.

"Infelizmente, quando Kalinin se encontrava no seu pequeno círculo de camaradas durante as pausas, ninguém queria saber de aplaudir sua urina. Stálin contava as anedotas dele e Kalinin era disciplinado demais para ter coragem de incomodá-lo com suas idas e vindas ao banheiro. Além do mais, Stálin, ao contá-las, fixava os olhos nele, no rosto que ficava cada vez mais pálido e crispado de caretas. Isso incitava Stálin a alongar ainda mais a narrativa, a acrescentar descrições, digressões e protelar o desenlace até o momento em que, de repente, o rosto diante dele se distendia, desapareciam as caretas, a expressão se acalmava, e a cabeça era cercada por uma auréola de paz; só então, sabendo que Kalinin perdera mais uma vez sua grande luta, Stálin passava rapidamente para o desenlace, levantava-se da mesa e, com um sorriso amigável e alegre, terminava a sessão. Todos os outros também se levantavam e olhavam maliciosamente para seu camarada postado atrás da mesa, ou atrás de uma cadeira, para esconder a calça molhada."

Os amigos de Charles estavam encantados de imaginar essa cena e só depois de uma pausa Calibã interrompeu o silêncio divertido:

— No entanto, isso não explica absolutamente por que Stálin deu o nome do pobre prostático à cidade alemã onde viveu por toda a vida o célebre... o célebre...

— Immanuel Kant — soprou-lhe Alain.

Alain descobre a ternura desconhecida de Stálin

Quando uma semana depois Alain reviu seus colegas num bistrô (ou na casa de Charles, não sei mais), ele interrompeu imediatamente a conversa deles:

— Eu queria dizer a vocês que para mim não é absolutamente inexplicável que Stálin tenha dado o nome de Kalinin à célebre cidade de Kant. Não sei quais explicações vocês podem ter encontrado, mas eu vejo apenas uma: Stálin tinha por Kalinin uma excepcional ternura.

A surpresa alegre que leu no rosto dos amigos agradou-lhe e até o inspirou:

— Eu sei, eu sei... A palavra "ternura" não combina com a reputação de Stálin, ele é o Lúcifer do século, eu sei, sua vida foi cheia de complôs, traições, guerras, prisões, assassinatos, massacres. Não discuto isso, ao contrário, quero até sublinhar para que apareça, com a maior clareza, que, em vista desse imenso peso de crueldades que ele devia praticar, cometer e viver, era-lhe impossível dispor de uma reserva igualmente imensa de compaixão. Isso superaria as capacidades humanas!

Para conseguir viver sua vida tal como era, ele não podia senão anestesiar, depois esquecer completamente sua faculdade de se compadecer. Mas diante de Kalinin, naquelas pequenas pausas longe dos massacres, naqueles doces momentos de uma conversa tranquila, tudo mudava: ele se confrontava com uma dor inteiramente diferente, uma dor pequena, concreta, individual, compreensível. Olhava seu camarada sofrendo e, com doce espanto, percebia despertar em si um sentimento frágil, modesto, quase desconhecido, em todo caso esquecido: o amor por um homem que sofre. Em sua vida feroz, esse momento era como uma trégua. A ternura aumentava no coração de Stálin no mesmo ritmo que a pressão da urina na bexiga de Kalinin. A redescoberta de um sentimento que havia muito ele deixara de experimentar era para ele de uma indizível beleza.

— É essa — continuou Alain — que vejo como a única explicação possível desse curioso rebatismo de Königsberg como Kaliningrado. Isso se passou trinta anos antes do meu nascimento e, no entanto, posso imaginar a situação: terminada a guerra, os russos anexaram ao seu império uma célebre cidade alemã e são obrigados a russificá-la com um novo nome. E não com um nome qualquer! É preciso que o rebatismo se apoie num nome famoso através de todo o planeta e cujo brilho faça calar os inimigos! Grandes nomes assim, os russos têm em quantidade! Catarina, a Grande! Púchkin! Tchaikóvski! Tolstói! E eu não estou falando dos generais que venceram Hitler e que, naquela época, eram adulados em toda parte! Como entender então que Stálin escolha o nome de alguém tão nulo? Que ele tome uma decisão tão evidentemente idiota? Para isso, só podem existir razões íntimas e secretas. E nós as conhecemos: ele pensa com ternura no homem que sofreu por ele, diante de seus olhos, e quer agradecer a sua fidelidade, agradá-lo por sua dedicação. Se não me engano... Ramon, você pode me corrigir!... durante esse breve momento da história, Stálin é o homem de Estado mais poderoso do mundo e sabe disso. Sente uma alegria maliciosa de ser, entre todos os presidentes e reis, o único que pode se lixar para a seriedade dos grandes gestos políticos cinicamente calculados, o único que pode se permitir tomar uma decisão absolutamente pessoal, caprichosa, irracional, esplendidamente bizarra, soberbamente absurda.

Sobre a mesa se via uma garrafa de vinho tinto aberta. O copo de Alain já estava vazio; ele tornou a enchê-lo e continuou:

— Agora contando de novo, diante de vocês, vejo nessa história um sentido cada vez mais profundo. — Deu um gole no vinho, depois continuou: — Sofrer para não molhar a cueca... Ser um mártir da sua higiene... Combater a urina que nasce, cresce, avança, que ameaça, ataca, mata... Existe um heroísmo mais prosaico e mais humano? Eu não ligo para os que se dizem grandes homens, cujos nomes ornamentam nossas ruas. Eles se tornaram célebres graças às suas ambições, sua vaidade, suas mentiras, sua crueldade. Kalinin é o único cujo nome permanecerá na memória como lembrança de um sofrimento que cada ser humano conheceu, como lembrança de um combate desesperado que não causou mal a ninguém a não ser a ele mesmo.

Terminou seu discurso e todos ficaram emocionados.

Depois de um silêncio, Ramon disse:

— Você tem toda a razão, Alain. Depois de minha morte, eu quero me levantar a cada dez anos para verificar se Kaliningrado continua sendo Kaliningrado. Se for esse o caso, poderei sentir um pouco de solidariedade com a humanidade e, reconciliado com ela, voltar para minha sepultura.

TERCEIRA PARTE
Alain e Charles pensam muitas vezes na mãe

A primeira vez que foi tomado pelo mistério do umbigo foi quando viu sua mãe pela última vez

Voltando lentamente para casa, Alain observava as moças que, todas, mostravam o umbigo entre a calça de cintura muito baixa e a camiseta cortada muito curta. Como se o poder de sedução delas não se concentrasse mais nas coxas, nem na bunda, nem nos seios, mas naquele pequeno buraco redondo situado no meio do corpo.

Estou me repetindo? Começo este capítulo com as mesmas palavras que empreguei bem no início deste romance? Sei disso. Mas mesmo se já falei da paixão de Alain pelo enigma do umbigo, não quero esconder que esse enigma continua a preocupá-lo, como vocês também se preocupam durante meses, às vezes anos, com os mesmos problemas (certamente muito menos nulos do que este que obceca Alain). Assim, perambulando pelas ruas, ele pensava muito no umbigo, sem se incomodar em se repetir, e até mesmo com uma estranha obstinação; pois o umbigo despertava nele uma lembrança distante: a lembrança do último encontro que tivera com sua mãe.

Ele tinha então dez anos. Estavam sozinhos, ele e o pai, de férias numa casa alugada, com jardim e piscina. Era a primeira vez que ela vinha visitá-los depois de uma ausência de muitos anos. Ficaram fechados na casa, ela e o ex-marido. A atmosfera em volta tornava-se sufocante num raio de um quilômetro. Quanto tempo ela ficou ali? Provavelmente menos de uma ou duas horas, durante as quais Alain tentava se distrair sozinho na piscina. Acabara de sair quando ela parou para se despedir dele. Estava sozinha. Que foi que eles conversaram? Ele não sabe. Lembra-se apenas de que ela estava sentada numa cadeira de jardim e que ele, de calção de banho, ainda molhado, estava de pé na sua frente. O que disseram um ao outro foi esquecido, mas um momento ficou fixado na memória dele, um momento concreto, gravado com precisão: sentada na cadeira, ela olhou intensamente para o umbigo do filho. Esse olhar, ele continua a senti-lo em seu ventre. Um olhar difícil de compreender; para ele parecia expressar uma inexplicável mistura de compaixão e desprezo; os lábios da mãe se transformaram num sorriso (sorriso de compaixão e desprezo), depois, sem se levantar da cadeira, ela se inclinou para ele e, com o indicador, tocou-lhe o umbigo. Logo em seguida, levantou-se, beijou-o (será que de fato o beijou? Provavelmente; mas ele não tem certeza) e se foi. Nunca mais a tinha visto.

Uma mulher sai de seu carro

Um carro pequeno segue por uma estrada ao longo de um rio. O ar frio da manhã torna ainda mais órfã essa paisagem sem charme, em algum lugar entre o fim de um subúrbio e o campo, onde as casas são raras e não se veem pedestres. O carro para na beira da estrada; uma mulher desce, jovem, muito bonita. Coisa estranha: ela empurrou a porta com um gesto tão negligente que o carro por certo não foi trancado. Que significa essa negligência tão improvável em nossa época de ladrões? Seria ela tão distraída?

Não, ela não dá a impressão de ser distraída, ao contrário, pode-se ler determinação em seu rosto. Essa mulher sabe o que quer. Essa mulher é pura vontade. Anda cerca de cem metros pela estrada em direção a uma ponte sobre o rio, uma ponte bem alta, estreita, proibida para veículos. Percorre a ponte e se dirige à outra margem. Olha em torno várias vezes, não como uma mulher que estivesse sendo esperada por alguém, mas para se assegurar de que ninguém a espera. No meio da ponte, ela para. À primeira vista, poderíamos dizer que hesita, mas não, não é hesitação, nem uma súbita falta de determinação, ao contrário, é o momento em que ela intensifica a concentração, em que torna sua vontade ainda mais obstinada. Sua vontade? Para ser mais exato: sua raiva. Sim, a pausa que parecia hesitação é na verdade um apelo à sua raiva para que fique com ela, a sustente, não a abandone um só instante.

Ela passa por cima do corrimão e se atira no vazio. No fim de sua queda, quando colide brutalmente com a dureza da superfície da água, fica paralisada pelo frio, mas, depois de alguns longos segundos, ergue o rosto e, como é boa nadadora, todos os seus automatismos se insurgem contra sua vontade de morrer. Ela mergulha de novo a cabeça, tenta aspirar água, bloquear a respiração. Nesse momento, ouve um grito. Um grito que vem da outra margem. Alguém a viu. Compreende que morrer não vai ser fácil e que seu maior inimigo não será seu reflexo incontrolável de boa nadadora, mas alguém com quem ela não contava. Será obrigada a lutar. Lutar para salvar sua morte.

Ela mata

Ela olha na direção do grito. Alguém se atirou no rio. Ela raciocina: quem será mais rápido, ela com sua resolução de ficar debaixo d'água, de aspirar água, de se afogar, ou ele que se aproxima? Quando ela estiver quase afogada, com água nos pulmões, portanto mais debilitada, não será uma presa mais fácil para seu salvador? Ele a arrastará até a margem, puxará a água para fora de seus pulmões, fará nela uma respiração boca a boca, chamará os bombeiros, a polícia, e ela será salva e ridicularizada para sempre.

— Pare, pare! — grita o homem.

Tudo mudou: em vez de sumir na água, ela levanta a cabeça e respira profundamente para concentrar suas forças. Ele já está diante dela. É um jovem, um adolescente que quer ficar famoso, ter sua fotografia nos jornais, e só faz repetir: "Pare, Pare!". Ele já estende a mão para ela, que, em vez de afastá-la, a segura, aperta e a puxa para o fundo do rio. Ele grita mais uma vez "Pare!", como se fosse a única palavra que soubesse pronunciar.

Mas não vai mais pronunciá-la; ela segura seu braço, o puxa para o fundo, depois se deita sobre as costas do adolescente para que a cabeça dele fique debaixo d'água. Ele se defende, se esquiva, já aspirou água, tenta atingir a mulher, mas ela permanece bem estendida sobre ele, de modo que ele não consegue mais levantar a cabeça para tomar ar e, depois de longos segundos, segundos longos demais, para de se agitar. Ela o mantém assim por algum tempo, pode-se até dizer que, exausta e trêmula, descansa, deitada sobre ele, depois, certa de que o homem debaixo dela não se mexerá mais, solta-o e se dirige para a margem de onde viera, a fim de não guardar nem sombra do que acabara de acontecer.

Mas como? Ela esqueceu sua resolução? Por que não se afogou se aquele que tentou roubar sua morte não está mais vivo? Por que, finalmente livre, não quer mais morrer?

A vida inopinadamente reencontrada foi como um choque que quebrou sua determinação; ela não encontra mais força para concentrar a energia na sua morte; ela treme; desprovida de repente de toda vontade, de todo vigor, nada mecanicamente em direção ao lugar onde abandonara o carro.

Ela volta para casa

Pouco a pouco ela sente que a profundidade da água diminui, apoia os pés no fundo, fica de pé; no lodo, perde os sapatos e não tem força para procurá-los; sai da água descalça e sobe em direção à estrada.

O mundo redescoberto mostra-lhe uma cara inóspita e imediatamente a angústia toma conta dela: não tem a chave do carro! Onde está a chave? Sua saia não tem bolso. Indo em direção à morte, ninguém se preocupa com o que deixa pelo caminho. Quando ela desceu do carro, o futuro não existia mais. Ela não tinha nada a esconder. Ao passo que agora, de repente, é preciso esconder tudo. Não deixar nenhum traço. A angústia torna-se cada vez mais forte: onde está a chave? como chegaria em casa?

Está perto do carro, puxa a porta que, para seu espanto, se abre. A chave está à espera dela, largada no painel. Ela senta ao volante e põe os pés descalços molhados sobre os pedais. Sempre tremendo. Tremendo também de frio. Sua blusa e sua saia estão ensopadas, pingando a água suja do rio. Ela vira a chave e se vai.

Aquele que quis lhe impor a vida morreu afogado. E aquele que ela queria matar em seu ventre continua vivo. A ideia do suicídio é afastada para sempre. Nada de repetições. O rapaz está morto, o feto está vivo, e ela fará tudo para que ninguém descubra o que aconteceu. Ela treme e sua vontade desperta; não pensa em nada a não ser no futuro imediato: como sair do carro sem que ninguém note? Como se esgueirar despercebida, com a roupa toda molhada, diante da portaria?

Nesse momento, Alain sentiu um empurrão violento no ombro.

— Presta atenção, idiota!

Virou-se e viu a seu lado na calçada uma moça que o ultrapassava num passo rápido e enérgico.

— Desculpe — gritou ele em sua direção (com voz fraca).

— Imbecil! — respondeu a moça (com voz forte) sem se virar.

Os desculpantes

Sozinho em seu pequeno apartamento, Alain constatou que continuava a sentir dor no ombro e concluiu que a moça que, na antevéspera na rua, o tinha empurrado com tanta eficácia devia ter feito isso de propósito. Não conseguia esquecer a voz estridente que o chamara de "idiota" e ouvia de novo seu próprio "desculpe" suplicante, seguido da resposta: "Imbecil!". Mais uma vez, se desculpara por nada! Por que sempre esse reflexo estúpido de pedir perdão? A lembrança não o abandonava e ele sentia necessidade de falar com alguém. Telefonou para Madeleine. Ela não estava em Paris, o celular estava desligado. Ligou então para Charles e, assim que ouviu sua voz, desculpou-se:

— Não repare. Meu humor está péssimo. Preciso conversar.

— Adivinhou. Eu também estou de mau humor. E você, por quê?

— Porque estou com raiva de mim. Por que aproveito todas as ocasiões para me sentir culpado?

— Isso não é grave.

— Se sentir ou não se sentir culpado. Acho que tudo depende disso. A vida é uma luta de todos contra todos. É sabido. Mas como essa luta acontece numa sociedade mais ou menos civilizada? As pessoas não podem se atirar umas sobre as outras sempre que se encontram. Em vez disso, tentam jogar no outro o constrangimento da culpabilidade. Ganhará aquele que conseguir tornar o outro culpado. Perderá aquele que reconhecer sua culpa. Você vai pela rua, mergulhado em pensamentos. Em sua direção vem uma moça, como se estivesse sozinha no mundo, sem olhar nem para a esquerda nem para a direita, indo direto em frente. Vocês se esbarram. Eis o momento da verdade. Quem vai insultar o outro, e quem vai se desculpar? É uma situação-modelo: na realidade, cada um dos dois é ao mesmo tempo o que sofreu o esbarrão e o que esbarrou. E, no entanto, há os que se consideram, imediatamente, espontaneamente, os que esbarraram, portanto culpados. E há os outros, que se veem sempre, imediatamente, espontaneamente, como os que sofreram o esbarrão, portanto no seu direito de acusar o outro e de fazer com que este seja punido. Você, numa situação como essa, você se desculparia ou acusaria?

— Eu certamente pediria desculpas.

— Ah, coitado, você também pertence ao exército dos desculpantes. Pensa que vai agradar o outro com suas desculpas.

— Sem dúvida.

— Você se engana. Quem se desculpa se declara culpado. E se você se declara culpado, encoraja o outro a continuar te injuriando, te denunciando, publicamente, até sua morte. São as consequências fatais do primeiro pedido de desculpas.

— É verdade. Não devemos pedir desculpas. E, no entanto, eu preferiria um mundo em que todas as pessoas se desculpassem, sem exceção, inutilmente, exageradamente, por nada, que se desmanchassem em desculpas...

— Você diz isso com uma voz tão triste — espantou-se Alain.

— Faz duas horas que eu só penso na minha mãe.

— Que está acontecendo?

Os anjos

— Ela está doente. Tenho medo que seja grave. Ela acaba de me telefonar.

— De Tarbes?

— Sim.

— Está sozinha?

— O irmão está na casa dela. Mas é ainda mais velho. Tenho vontade de pegar imediatamente o carro e ir para lá, mas é impossível. Hoje à noite tenho um trabalho que não posso cancelar. Um trabalho de uma estupidez sem igual. Mas amanhã eu vou...

— Curioso. Penso muitas vezes na sua mãe.

— Você ia gostar dela. Ela é engraçada. Já tem dificuldade para andar, mas nós nos divertimos bastante.

— Foi dela que você herdou o gosto por brincadeiras?

— Talvez.

— É estranho.

— Por quê?

— Segundo o que você sempre me contou, eu a imaginava como tendo saído dos versos de Francis Jammes. Acompanhada de bichos sofredores e de velhos camponeses. No meio de burros e de anjos.

— É — disse Charles —, ela é assim. — Em seguida, depois de alguns segundos: — Por que você falou em anjos?

— O que te surpreende?

— Na minha peça... — Ele fez uma pausa, e depois: — Você entende, minha peça para marionetes é apenas uma brincadeira, uma tolice, eu não a escrevi, apenas a imagino, mas que posso fazer se nada mais me distrai... Portanto, no último ato dessa peça, eu imagino um anjo.

— Um anjo? Por quê?

— Não sei.

— E como vai acabar a peça?

— No momento, sei apenas que no fim haverá um anjo.

— O que significa para você um anjo?

— Teologia não é o meu forte. Um anjo, eu imagino sobretudo como naquela frase que se diz àquele a quem se quer agradecer por sua bondade: "Você é um anjo". Para minha mãe, as pessoas dizem isso muitas vezes. É por isso que fiquei surpreso quando você disse que a via acompanhada por burros e anjos. Ela é assim.

— Teologia também não é o meu forte. Lembro-me apenas que existem anjos que foram expulsos do céu.

— Sim. Os anjos expulsos do céu — repetiu Charles.

— Além disso, que sabemos dos anjos? Que são magros...

— Realmente, é difícil imaginar um anjo barrigudo.

— E que têm asas. E que são brancos. Brancos. Escuta, Charles, se não me engano, anjo não tem sexo. Talvez seja essa a chave de sua brancura.

— Talvez.

— E de sua bondade.

— Talvez.

Em seguida, depois de um silêncio, Alain disse:

— Será que anjo tem umbigo?

— Por quê?

— Se anjo não tem sexo, ele não nasceu do ventre de uma mulher.

— Certamente não.

— Portanto, ele não tem umbigo.

— Sim, não tem umbigo, sem dúvida...

Alain pensou na moça que, perto da piscina de uma casa de veraneio, tinha tocado com o indicador o umbigo do seu filho de dez anos e disse a Charles:

— É estranho. Eu também, há algum tempo, penso sem cessar na minha mãe... em todas as situações possíveis e impossíveis...

— Meu caro, vamos parar por aí! Preciso me preparar para o maldito coquetel.

QUARTA PARTE

Estão todos em busca do bom humor

Calibã

Em seu primeiro trabalho, que na época representava para ele o sentido de sua vida, Calibã foi ator; ele tinha essa profissão escrita preto no branco em seus documentos e era como ator sem trabalho que havia muito recebia seguro-desemprego. Na última vez em que foi visto em cena, ele encarnava o selvagem Calibã em *A tempestade* de Shakespeare. Com a pele coberta por uma tinta marrom e com uma peruca preta na cabeça, ele urrava e saltava como um louco. A atuação dele tinha encantado tanto seus amigos que estes decidiram chamá-lo pelo nome que ela lhes lembrava. Isso já fazia bastante tempo. Depois, os teatros hesitavam em contratá-lo e seu seguro diminuía a cada ano, como, aliás, o de milhões de outros atores, dançarinos, cantores que estavam desempregados. Foi então que Charles, que ganhava a vida organizando coquetéis para particulares, o contratou como garçom. Desse modo Calibã podia ganhar alguns trocados, mas, além disso, sempre um ator em busca de sua missão perdida, via aí a oportunidade de uma vez ou outra mudar de identidade. Tendo ideias estéticas um pouco ingênuas (seu santo padroeiro, o Calibã de Shakespeare, não era ele também um ingênuo?), pensou que a performance de um ator era tanto mais notável quanto mais distante da vida real fosse o personagem que ele representava. Foi por isso que insistiu em acompanhar Charles não como um francês, mas como um estrangeiro que só sabia falar uma língua que ninguém ao redor conhecesse. Quando ele teve que encontrar seu novo país natal, talvez por causa da pele ligeiramente morena escolheu o Paquistão. Por que não? Escolher um país natal, nada mais fácil. Mas inventar sua língua, isso é que é difícil.

Tente, improvisando, falar uma língua fictícia, nem que seja por trinta segundos seguidos! Você vai repetir frequentemente as mesmas sílabas e seu balbuciar será logo desmascarado como uma impostura. Inventar uma língua inexistente pressupõe que se dê a ela uma credibilidade acústica: que se crie uma fonética especial e que não se pronuncie um "a" ou um "o" como os franceses pronunciam; que se decida em que sílaba cai um acento regular. É recomendável também, para a naturalidade da palavra, imaginar detrás desses sons absurdos uma construção gramatical e saber qual palavra é um verbo e qual palavra é um substantivo. E, comportando-se como uma dupla de amigos, é importante determinar o papel do segundo, o francês, ou seja, Charles: ainda que não saiba falar paquistanês, ele deve conhecer ao menos algumas palavras, para que ambos possam, em caso de urgência, se entender sobre o essencial sem pronunciar uma única palavra de francês.

Isso tinha sido difícil, mas engraçado. Infelizmente, nem a mais encantadora das brincadeiras escapa à lei do envelhecimento. Embora os dois amigos houvessem se divertido durante os primeiros coquetéis, Calibã começou logo a desconfiar que toda aquela trabalhosa mistificação não servia para nada, pois os convidados não mostravam nenhum interesse por ele e, tendo em vista sua língua incompreensível, não o escutavam, contentando-se com simples gestos para mostrar o que queriam comer ou beber. Ele tinha se tornado um ator sem público.

As roupas brancas e a jovem portuguesa

Chegaram ao apartamento de D'Ardelo duas horas antes de começar o coquetel.

— Este é meu assistente, madame. Ele é paquistanês. Desculpe, ele não conhece uma só palavra de francês — disse Charles, e Calibã inclinou-se cerimoniosamente diante de madame D'Ardelo, pronunciando algumas frases incompreensíveis.

A indiferença delicadamente distante de madame D'Ardelo, que não prestou nenhuma atenção naquilo, confirmou para Calibã o sentimento de inutilidade de sua língua trabalhosamente inventada e a melancolia começou a invadi-lo.

Felizmente, logo depois dessa decepção, um pequeno prazer o consolou: a empregada que madame D'Ardelo mandou ficar à disposição dos dois senhores não conseguia tirar os olhos de um ser tão exótico. Dirigiu-se a ele várias vezes e, quando entendeu que ele não conhecia nenhuma língua além da sua, ficou primeiro confusa, depois estranhamente descontraída. Pois ela era portuguesa. Já que Calibã falava em paquistanês, apresentava-se a ela uma ocasião rara de deixar de lado o francês, língua de que não gostava, e usar, ela também, sua língua natal. A comunicação em duas línguas que eles não compreendiam os aproximou.

Depois, uma caminhonete parou em frente à casa e dois funcionários subiram com tudo que Charles havia encomendado, garrafas de vinho e de uísque, presunto, salames, *petits-fours*, e puseram na cozinha. Ajudados pela empregada, Charles e Calibã cobriram com uma imensa toalha uma mesa comprida, instalada no salão, e nela depositaram travessas, pratos, copos e garrafas. Depois, quando se aproximava a hora do coquetel, retiraram-se para um quarto pequeno que madame D'Ardelo lhes indicara. Vestiram duas roupas brancas que tiraram de uma maleta. Não precisavam de espelho. Olharam um para o outro e não puderam conter o riso. Para eles, aquele era sempre um breve momento de prazer. Quase esqueciam que trabalhavam por necessidade, para ganhar a vida; vendo-se com aquele disfarce branco, tinham a impressão de se divertir.

Depois Charles se afastou para o salão, deixando Calibã preparar os últimos pratos. Uma moça bem jovem, segura de si, entrou na cozinha e virou-se para a empregada:

— Você não pode aparecer no salão nem por um segundo! Se nossos convidados te vissem, eles fugiriam! — Depois, olhando para os lábios da portuguesa, ela desatou a rir: — Onde você descobriu essa cor? Você parece um pássaro da África! Um papagaio de Bourenbouboubou! — E saiu da cozinha, rindo.

Com os olhos úmidos, a portuguesa disse a Calibã (em português):

— Madame é gentil! Mas a filha! Como ela é má! Ela disse isso porque está interessada em você! Na presença dos homens, ela é sempre má comigo! Tem prazer em me humilhar na frente dos homens!

Não podendo responder, Calibã acariciou-lhe os cabelos. Ela ergueu os olhos para ele e disse (em francês):

— Olha, será que meu batom é assim tão feio?

Virou a cabeça para a esquerda e para a direita a fim de que ele pudesse ver toda a extensão de seus lábios.

— Não — disse ele (em paquistanês) —, a cor do seu batom foi muito bem escolhida...

Com sua roupa branca, Calibã parecia ainda mais sublime, ainda mais surpreendente para a empregada, e ela lhe disse (em português):

— Estou tão contente que você esteja aqui.

E ele, transportado por sua eloquência (sempre em paquistanês):

— E não apenas seus lábios, mas seu rosto, seu corpo, você toda inteira, assim como a vejo na minha frente, você é linda, lindíssima...

— Ah, como estou contente que você esteja aqui — respondeu a empregada (em português).

A fotografia pendurada na parede

Não só para Calibã, que não vê mais nenhuma graça na sua mistificação, mas para todos os meus personagens, esta festa está permeada de tristeza: para Charles, que se abriu com Alain sobre o medo que sentia com a doença da mãe; para Alain, emocionado com aquele amor filial que ele próprio jamais vivera, emocionado também com a imagem de uma velha camponesa pertencente a um mundo que lhe era desconhecido mas que despertava nele uma nostalgia ainda maior. Infelizmente, quando sentira vontade de prolongar a conversa, Charles já estava com pressa e tivera que desligar. Alain apanhou então seu celular para falar com Madeleine. Mas o telefone tocou e tocou; em vão. Como acontecia muitas vezes em situações semelhantes, ele dirigiu o olhar para uma fotografia pendurada na parede. Não havia nenhuma foto no apartamento; apenas aquela: o rosto de uma mulher jovem; sua mãe.

Alguns meses depois do nascimento de Alain, ela deixara o marido que, por ser discreto, jamais falou mal dela. Era um homem educado e gentil. O menino não entendia como uma mulher pudera abandonar um homem tão educado e gentil e entendia menos ainda como ela pudera abandonar o filho que, também ele (tinha consciência disso), era desde a infância (talvez desde sua concepção) um ser educado e gentil.

— Onde ela vive? — perguntou então ao pai.

— Provavelmente na América.

— Como assim, "provavelmente"?

— Não sei seu endereço.

— Mas era obrigação dela te dar.

— Ela não tem nenhuma obrigação comigo.

— Mas e comigo? Ela não quer ter notícias minhas? Não quer saber o que faço? Não quer saber o que penso dela?

Um dia, o pai não se conteve mais:

— Já que você insiste, vou te dizer: sua mãe jamais quis que você nascesse. Ela jamais quis que você passeasse por aqui, que você sentasse nessa poltrona onde se sente tão bem. Ela não te queria. Você entende, agora?

O pai não era uma pessoa agressiva. Mas, apesar de toda a sua reserva, não tinha conseguido esconder seu maldito conflito com uma mulher que queria impedir que um ser humano viesse ao mundo.

Já falei do último encontro de Alain com a mãe perto da piscina de uma casa alugada para as férias. Ele tinha então dez anos. Tinha dezesseis quando o pai morreu. Alguns dias depois do enterro, tirara a foto de sua mãe de um álbum de família, mandara emoldurar e pendurara na parede. Por que não havia no apartamento nenhuma foto de seu pai? Não sei. É ilógico, isso? Certamente. Injusto? Sem dúvida nenhuma. Mas é assim: nas paredes do apartamento só havia uma foto pendurada: a de sua mãe, com quem, de vez em quando, ele conversava:

Como se gera um desculpante

— Por que você não fez um aborto? Ele te impediu?

Uma voz vinda da foto dirigiu-se a ele:

— Você não saberá nunca. Tudo que você inventa sobre mim não passa de contos de fada. Mas gosto deles, dos seus contos de fada. Mesmo quando você me transformou numa assassina que afogou um rapaz no rio. Tudo me divertia. Continua, Alain. Conta! Imagina! Estou ouvindo.

E Alain imaginava: imaginava o pai sobre o corpo de sua mãe. Antes do coito, ela o preveniu: "Não tomei a pílula, presta atenção!". Ele a tranquilizou. Ela então faz amor sem receio, depois quando vê no rosto do homem o gozo chegando, aumentando, começa a gritar: "Presta atenção!", depois: "Não! não! não quero! não quero!", mas o rosto do homem fica cada vez mais vermelho, vermelho e repugnante, ela empurra aquele corpo pesado que a aperta contra si, ela se debate, mas ele a abraça ainda mais forte e ela compreende de repente que para ele não se tratava da cegueira da excitação, e sim de uma vontade, vontade fria e premeditada, ao passo que nela havia mais que vontade, havia raiva, uma raiva ainda mais feroz porque o combate estava perdido.

Não era a primeira vez que Alain imaginava o coito deles; aquele coito o hipnotizava e o fazia supor que cada ser humano era o decalque do segundo em que fora concebido. Ficou de pé em frente ao espelho e observou seu rosto para encontrar nele os traços da simultânea raiva dupla que o levara a nascer: a raiva do homem e a raiva da mulher no momento do orgasmo do homem; a raiva do gentil e fisicamente forte combinada à raiva da corajosa e fisicamente frágil.

E pensou que o fruto daquela raiva dupla só poderia ser um desculpante: ele era gentil e educado como seu pai; e continuaria um intruso como sua mãe o tinha visto. Quem é ao mesmo tempo um intruso e um gentil está condenado, por uma lógica implacável, a se desculpar durante toda a vida.

Olhou para o rosto pendurado na parede e mais uma vez viu a mulher que, vencida, com a roupa molhada, entra no carro, se esgueira despercebida diante da portaria, sobe a escada e entra, descalça, no apartamento onde ficará até que o intruso saia do seu corpo. Para, alguns meses mais tarde, abandonar os dois.

Ramon chega de péssimo humor ao coquetel

Apesar do sentimento de compaixão que experimentara no fim do encontro deles no Jardim de Luxemburgo, Ramon não podia modificar o fato de que D'Ardelo pertencia à espécie de pessoas que não lhe agradavam. E isso, mesmo tendo ambos uma coisa em comum: a paixão de encantar os outros; de surpreendê-los com uma reflexão engraçada; de conquistar uma mulher na presença deles. Só que Ramon não era um Narciso. Ele gostava do sucesso, mas ao mesmo tempo tinha medo de despertar inveja; gostava de ser admirado, mas fugia dos admiradores. Sua discrição havia se transformado em amor pela solidão depois que sofrera algumas decepções na vida particular, sobretudo depois do ano passado, quando teve que se juntar ao exército funesto dos aposentados; as opiniões não conformistas, que outrora o rejuvenesciam, agora o tornavam, apesar de sua aparência enganosa, um personagem anacrônico, fora de nosso tempo, portanto velho.

Por isso, decidiu boicotar o coquetel para o qual seu

antigo colega (que ainda não era aposentado) o convidara e só mudou de opinião no último momento, quando Charles e Calibã lhe juraram que apenas a presença dele tornaria suportável sua cada vez mais enfadonha missão de garçons. No entanto, ele chegou muito tarde, bem depois de um dos convidados fazer um discurso em louvor ao anfitrião. O apartamento estava repleto. Não conhecendo ninguém, Ramon rumou para a mesa comprida onde seus dois amigos ofereciam as bebidas. Para afastar o mau humor, dirigiu-lhes algumas palavras que pretendiam imitar o blá-blá-blá paquistanês. Calibã respondeu-lhe na versão autêntica do mesmo blá-blá-blá.

Depois, com um copo de vinho na mão, sempre de mau humor, andando no meio dos desconhecidos, foi atraído pela comoção de algumas pessoas que tinham se virado para a porta de entrada. Aparecera ali uma mulher longilínea, bonita, de cerca de cinquenta anos. Com a cabeça inclinada para trás, ela deslizava muitas vezes a mão pelos cabelos, levantando-os e depois deixando que graciosamente tornassem a cair, e oferecendo a quem quisesse a expressão voluptuosamente trágica de seu rosto; nenhum dos convidados jamais havia cruzado com ela, mas todos a conheciam de fotografias: La Franck. Ela parou em frente à mesa comprida, curvou-se e mostrou a Calibã, com uma grave concentração, diferentes canapés que lhe apeteciam.

Seu prato ficou logo cheio e Ramon pensou no que D'Ardelo lhe contara no Jardim de Luxemburgo: ela acabara de perder o companheiro a quem amara tão apaixonadamente que, graças a um decreto mágico dos céus, sua tristeza no momento da morte dele havia se transubstanciado em euforia e seu desejo de viver se multiplicara por cem. Ele a observava: ela enchia a boca de canapés, e seu rosto se agitava com enérgicos movimentos de mastigação.

Quando a filha de D'Ardelo (Ramon a conhecia de vista) notou a presença da célebre longilínea, sua boca parou (ela também mastigava alguma coisa) e suas pernas começaram a correr:

— Querida!

Queria beijá-la, mas o prato que a mulher célebre segurava na altura do ventre a impedia de fazê-lo.

— Querida — repetia ela, enquanto La Franck trabalhava na boca uma grande massa de pão e salame.

Não conseguindo engolir tudo, ela empurrou com a língua o bocado para o espaço entre os molares e a bochecha; depois, com esforço, tentou dizer umas palavras à moça, que não entendeu nada.

Ramon deu dois passos para a frente a fim de observá-las de perto. A jovem D'Ardelo engoliu o que tinha na boca e declarou com voz sonora:

— Sei de tudo, sei de tudo! Mas jamais te deixaremos sozinha! Jamais!

La Franck, com os olhos fixos no vazio (Ramon compreendeu que ela não sabia quem era aquela que lhe falava), passou uma fração do naco para o meio da boca, mastigou, engoliu a metade e disse:

— O ser humano é apenas solidão.

— Ah, como isso é verdadeiro! — exclamou a jovem D'Ardelo.

— Uma solidão cercada de solidões — acrescentou La Franck, depois engoliu o resto, virou-se e foi embora.

Sem que Ramon percebesse, um leve sorriso irônico se desenhou no rosto dele.

Alain guarda uma garrafa de armanhaque em cima do armário

Mais ou menos no mesmo instante em que esse leve sorriso iluminava inopinadamente o rosto de Ramon, uma campainha de telefone interrompeu as reflexões de Alain sobre a gênese de um desculpante. Ele soube de imediato que era Madeleine. Difícil entender como aqueles dois sempre conseguiam se falar por tanto tempo e com tanto prazer tendo tão poucos interesses em comum. Quando Ramon explicara sua teoria sobre os observatórios erguidos cada um num ponto diferente da história a partir dos quais as pessoas se falam sem poder compreender umas às outras, Alain tinha se lembrado instantaneamente da amiga, pois, graças a ela, sabia que até o diálogo de verdadeiros amantes, se as datas do nascimento deles são muito distantes, não passa do entrelaçamento de dois monólogos que guardam para o outro uma grande parte de coisas incompreensíveis. Era por isso, por exemplo, que ele nunca sabia se Madeleine alterava os nomes dos homens célebres de outrora porque nunca ouvira falar deles ou se os trocava de propósito, para que todo mundo entendesse que ela não tinha o menor interesse pelo que havia acontecido em tempos anteriores ao de sua própria vida. Alain não se importava com isso. Achava divertido que ela fosse exatamente como ela era, e que ele pudesse ficar igualmente contente depois quando estava na solidão de seu apartamento, onde pendurara reproduções dos quadros de Bosch, de Gauguin (e de não sei mais quantos), que delimitavam para ele seu mundo íntimo.

Ele tinha sempre a vaga ideia de que, se tivesse nascido sessenta anos antes, teria sido artista. Uma ideia realmente vaga, já que ele não sabia o que a palavra "artista" significaria hoje. Um pintor transformado em vitrinista? Um poeta? Ainda existem poetas? O que lhe dava prazer, nas últimas semanas, era tomar parte na fantasia de Charles, na sua peça para marionetes, e se esse nonsense o atraía era justamente porque não tinha nenhum sentido.

Sabendo perfeitamente que não poderia ganhar a vida fazendo o que gostaria de fazer (mas será que sabia o que gostaria de fazer?), havia escolhido, depois de seus estudos, um emprego em que fora obrigado a valorizar não a sua originalidade, suas ideias, seus talentos, mas apenas sua inteligência, ou seja, essa capacidade aritmeticamente mensurável que não se distingue nos diferentes indivíduos senão quantitativamente, uns tendo mais, outros menos, Alain tendo mais, de modo que ele era bem pago e podia comprar de quando em quando uma garrafa de armanhaque. Alguns dias antes, comprara uma quando viu no rótulo a safra correspondente ao ano de seu próprio nascimento. Tinha então prometido abri-la no dia do seu aniversário para festejar com os amigos sua glória, a glória do grande poeta que, graças à sua humilde veneração pela poesia, havia jurado jamais escrever um único verso.

Satisfeito e quase alegre depois da longa conversa com Madeleine, subiu numa cadeira com a garrafa de armanhaque e guardou-a em cima de um armário alto (muito alto). Depois sentou no assoalho e, encostado na parede, fixou nela seu olhar que lentamente a transfigurava em rainha.

Apelo de Quaquelique ao bom humor

Enquanto Alain olhava para a garrafa em cima do armário, Ramon não parava de se censurar por estar onde não queria; todas aquelas pessoas lhe desagradavam e ele tentava, sobretudo, evitar um encontro com D'Ardelo; nesse momento, o viu a alguns metros, em frente à La Franck, a quem ele tentava cativar com sua eloquência; para afastar-se, Ramon se refugiou mais uma vez perto da mesa comprida em que Calibã derramava um bordeaux no copo de três convivas; nada de gestos e caretas, ele os fazia compreender que se tratava de um vinho de rara qualidade. Conhecendo as boas maneiras, os senhores erguiam o copo, esquentavam por algum tempo na palma da mão, guardavam depois um gole na boca, mostravam um ao outro o rosto que exprimia primeiro uma grande concentração, depois uma admiração perplexa, e terminavam proclamando em voz alta seu encantamento. Tudo isso durava menos de um minuto, até que essa festa do gosto fosse brutalmente interrompida pela conversa deles, e Ramon, que os observava, teve a impressão de assistir a um funeral em que três coveiros sepultavam o gosto sublime do vinho e jogavam sobre o caixão a terra e a poeira de seu bate-papo; mais uma vez um sorriso divertido se desenhou no rosto dele, enquanto no mesmo instante uma voz muito fraca, quase inaudível, mais um sibilo que uma palavra, se fez ouvir às suas costas:

— Ramon! O que você está fazendo aqui?

Ele se virou:

— Quaquelique! E você, o que faz aqui?

— Eu estou à procura de uma nova companhia — respondeu ele, e seu rosto pequeno, soberbamente desinteressante, resplandeceu.

— Meu caro — disse Ramon —, você continua o mesmo.

— Sabe, não tem nada pior que o tédio. É por isso que mudo de companhia. Sem isso, não existe bom humor!

— Ah, o bom humor! — exclamou Ramon, como que iluminado por essas duas palavras. — É, você acertou! O bom humor! É isso que importa e nada mais! Ah, que prazer te ver! Há alguns dias falei sobre você com meus amigos, ah, meu Quaqui, meu Quaqueli, tenho muitas coisas para te contar...

No mesmo instante, viu a alguns passos o rosto bonito de uma moça que conhecia; isso o fascinou; como se aqueles dois encontros fortuitos, magicamente ligados pelo mesmo lapso de tempo, o carregassem de energia; em sua cabeça, o eco das palavras "bom humor" ressoava como um apelo.

— Desculpe-me — disse a Quaquelique —, conversaremos mais tarde, agora... você entende...

Quaquelique sorriu:

— Claro que eu entendo! Vai nessa, vai nessa!

— Estou muito contente de revê-la, Julie — disse Ramon à moça. — Faz um milênio que não te encontro.

— Culpa sua — respondeu a moça, olhando-o impertinentemente nos olhos.

— Até este instante, não sabia que razão absurda me trouxera a esta festa sinistra. Agora eu sei.

— E, de repente, a festa sinistra não é mais sinistra — riu Julie.

— Você a *dessinistrou* — disse Ramon, rindo também. — Mas o que te trouxe aqui?

Ela fez um gesto na direção de uma roda que cercava uma velha (muito velha) celebridade universitária:

— Ele tem sempre alguma coisa para dizer... — Depois, com um sorriso promissor: — Estou impaciente para rever você mais tarde...

De excelente humor, Ramon avistou Charles atrás da mesa comprida, curiosamente ausente, o olhar atônito voltado para alguma coisa lá em cima. Essa postura estranha o intrigou, depois ele pensou: que prazer não se preocupar com o que se passa acima, que prazer estar presente aqui embaixo; e olhou para Julie, que partia; os movimentos de seu traseiro o saudavam e convidavam.

QUINTA PARTE
Uma pluminha paira sob o teto

Uma pluminha paira sob o teto

"... Charles... curiosamente ausente, o olhar atônito voltado para alguma coisa lá em cima..." Essas foram as palavras que escrevi no último parágrafo do capítulo anterior. Mas o que será que Charles observava lá em cima?

Um objeto minúsculo tremulando sob o teto; uma pequenina pluma branca que, lentamente, pairava, descia e subia. Atrás da mesa comprida coberta de pratos, garrafas e copos, Charles estava de pé, imóvel, a cabeça ligeiramente inclinada, enquanto os convidados, um depois do outro, intrigados com tal postura, começavam a seguir seu olhar.

Observando a perambulação da pluminha, Charles sentiu uma angústia; veio-lhe à mente a ideia de que o anjo em que pensara nas últimas semanas o prevenia desse modo de que já estava por ali, muito próximo. Talvez, assustado, antes que o jogassem do céu, tivesse deixado escapar da asa aquela minúscula pluma, quase invisível, como um traço de sua ansiedade, como uma lembrança da vida feliz compartilhada com as estrelas, como um cartão de visita que devia explicar sua chegada e anunciar o fim que se aproxima.

Mas Charles ainda não estava pronto para enfrentar o fim; o fim, ele gostaria de adiar para mais tarde. A imagem da mãe doente surgiu diante dele e seu coração ficou apertado.

No entanto, a pluminha estava lá, tornava a subir e descer, enquanto, do lado oposto do salão, La Franck também olhava para o teto. Ela erguia a mão com o indicador em riste para que a pluminha pudesse aterrissar nele. Mas a pluminha evitou o dedo de La Franck e continuou sua errância...

O fim de um sonho

Acima da mão erguida de La Franck, a pluminha continuava a perambular e imagino cerca de vinte homens que, reunidos em torno de uma mesa grande, dirigem o olhar para cima, mesmo que nenhuma pluminha esteja pairando ali; estão ainda mais confusos e nervosos porque a coisa que os assusta não se encontra nem na frente (como um inimigo que poderia ser morto) nem embaixo (como uma emboscada que a polícia secreta poderia desmontar), mas em algum lugar acima deles, como uma ameaça invisível, incorpórea, inexplicável, inatingível, impunível, maliciosamente misteriosa. Alguns se levantam da cadeira sem saber para onde ir.

Sentado à cabeceira da mesa grande, impassível, vejo Stálin, que resmunga:

— Acalmem-se, covardes! Do que têm medo? — Depois, com voz mais forte: — Sentem-se, a sessão não terminou!

Perto da janela, Molotov sussurra:

— Ióssif, alguma coisa vai acontecer. Diz-se que vão demolir as estátuas.

Depois, sob o olhar irônico de Stálin, sob o peso do seu silêncio, docilmente, abaixa a cabeça e torna a sentar em seu lugar à mesa.

Quando todos voltam a seus lugares, Stálin diz:

— Isto se chama o fim de um sonho! Todos os sonhos um dia terminam. É tão inesperado quanto inevitável. Vocês não sabem disso, ignaros?

Todos se calam, apenas Kalinin, não sabendo se controlar, proclama em voz alta:

— Aconteça o que acontecer, Kaliningrado continuará a ser sempre Kaliningrado!

— Com razão. E fico muito feliz de saber que o nome de Kant continuará para sempre ligado ao seu — responde Stálin, se divertindo cada vez mais. — Pois, você sabe, Kant bem o merece. — E seu riso, tão solitário quanto contente, perambulou por muito tempo pela grande sala.

Lamento de Ramon sobre o fim das gozações

O eco distante do riso de Stálin vibrou levemente pelo salão. Charles, atrás da comprida mesa de bebidas, não tirava o olhar da pluminha sobre o indicador em riste de La Franck, e Ramon, no meio de todas aquelas cabeças viradas para cima, alegrou-se de que tivesse chegado o momento em que poderia, invisível, com toda a discrição, ir embora com Julie. Procurou à esquerda e à direita, mas ela não estava lá. Continuava a ouvir sua voz; suas últimas palavras que soavam como um convite. Continuava a ver seu soberbo traseiro, que se afastava dele enviando saudações. E se ela tivesse ido ao banheiro? Para retocar a maquiagem? Ele entrou num pequeno corredor e esperou em frente à porta. Muitas mulheres saíram, olharam com desconfiança para ele, mas ela não apareceu. Estava muito claro. Ela já tinha ido embora. Ela o havia rejeitado. De repente, ele só queria uma coisa, abandonar aquela reunião lúgubre, abandoná-la sem demora, imediatamente, e dirigiu-se para a saída. Mas, a alguns passos dali, Calibã apareceu diante dele com uma bandeja:

— Meu Deus, Ramon, como você está triste! Tome depressa um uísque.

Como contrariar um amigo? O súbito encontro deles tinha, aliás, um atrativo irresistível: já que todos os bobocas em torno, como que hipnotizados, tinham o olhar voltado para cima, para o mesmo lugar absurdo, ele poderia finalmente ficar sozinho com Calibã, embaixo, na terra, com toda a intimidade, como numa ilha de liberdade. Eles se detiveram e Calibã, para dizer alguma coisa divertida, pronunciou uma frase em paquistanês.

Ramon respondeu (em francês):

— Parabéns, meu caro, por sua magnífica performance linguística. Mas em vez de me alegrar, você me faz mergulhar de novo na minha tristeza.

Ele pegou um copo de uísque da bandeja, bebeu, devolveu-o, apanhou um segundo e o segurou:

— Charles e você inventaram a farsa da língua paquistanesa para se divertirem nos coquetéis mundanos onde não passam de pobres lacaios dos esnobes. O prazer da mistificação devia protegê-los. Aliás, essa foi a estratégia de todos nós. Nós compreendemos há muito tempo que não era mais possível mudar este mundo, nem remodelá-lo, nem impedir sua infeliz trajetória para a frente. Havia uma única resistência possível: não levá-lo a sério. Mas constato que nossas gozações perderam seu poder. Você se obriga a falar paquistanês para se divertir. Em vão. Sente apenas cansaço e tédio.

Fez uma pausa e viu que Calibã pusera o indicador sobre os lábios.

— O que é que há?

Calibã fez um sinal com a cabeça na direção de um

homem, baixo, careca, distante dois ou três metros, o único que não dirigia o olhar para o teto e sim para eles.

— E então? — perguntou Ramon.

— Não fale em francês! Ele está nos ouvindo — cochichou Calibã.

— Mas o que te aflige?

— Por favor, não fale em francês! Faz uma hora que tenho a impressão de que ele me espiona.

Compreendendo a verdadeira angústia de seu amigo, Ramon pronunciou algumas palavras improváveis em paquistanês.

Calibã não reagiu, depois, um pouquinho mais calmo:

— Agora ele está olhando para outro lugar... — disse. E depois: — Está indo embora.

Aflito, Ramon bebeu seu copo de uísque, devolveu-o vazio à bandeja e pegou maquinalmente outro (já era o terceiro). Em seguida, num tom sério:

— Te juro, eu nem imaginava essa possibilidade. Mas é claro! Se um escravo da verdade descobrir que você é francês! Então, por certo, você se tornará suspeito! Ele vai pensar que você tem certamente um motivo escuso para esconder sua identidade! Vai avisar a polícia! Você vai ser interrogado! Vai explicar que seu paquistanês era uma gozação. Eles vão rir: que pretexto estúpido! Decerto você estava preparando algum golpe! Vão te algemar!

Ele viu a angústia reaparecer no rosto de Calibã:

— Mas não, não, esqueça o que eu acabo de dizer! Estou dizendo tolices! Estou exagerando! — Depois, baixando a voz, acrescentou: — No entanto, eu te entendo. As brincadeiras se tornaram perigosas. Meu Deus, você deve saber bem disso! Você lembra a história das perdizes que Stálin contava a seus companheiros. E lembra de Khruschóv, que gritava nos toaletes! Ele, o grande herói da verdade, que cuspia de desprezo! Essa cena foi profética! Ela inaugurou realmente um novo tempo. O crepúsculo das brincadeiras! A época do pós-gozações!

Uma pequena nuvem de tristeza passou mais uma vez sobre a cabeça de Ramon, quando em sua imaginação reapareceu o período de três segundos em que Julie e seu traseiro se foram; rapidamente, ele bebeu, devolveu o copo à bandeja, pegou outro (o quarto) e declarou:

— Meu caro amigo, só me falta uma coisa: o bom humor!

Calibã olhou ainda em torno; o baixinho careca não estava mais lá; isso o acalmou; ele sorriu.

E Ramon continuou:

— Ah, o bom humor! Você nunca leu Hegel? Claro que não. Você nem sabe quem ele é. Mas nosso professor que nos inventou me forçou a estudá-lo noutros tempos. Em sua reflexão sobre o cômico, Hegel disse que o verdadeiro humor é impensável sem o infinito bom humor, ouça bem, é o que ele diz com todas as letras: "infinito bom humor"; *unendliche Wohlgemutheit*. Nada de zombaria, nada de sátira, nada de sarcasmo. Somente das alturas do infinito bom humor é que você pode observar abaixo de si a eterna tolice dos homens e rir dela.

Em seguida, depois de uma pausa, com o copo na mão, ele disse lentamente:

— Mas como encontrar o bom humor?

Bebeu e pôs o copo vazio na bandeja. Calibã dirigiu-lhe um sorriso de adeus, virou-se e se foi. Ramon ergueu o braço para o amigo que se afastava e gritou:

— Como encontrar o bom humor?

La Franck vai embora

Como única resposta, Ramon ouviu gritos, risos, aplausos. Virou a cabeça para o outro lado do salão, onde a pluminha tinha afinal aterrissado no indicador em riste de La Franck, que erguia a mão o mais alto possível, como um maestro dirigindo os últimos compassos de uma grande sinfonia.

O público, excitado, lentamente se acalmava e La Franck, sempre com a mão erguida, declamou com voz tonitruante (apesar do pedaço de bolo que tinha na boca):

— O céu me deu um sinal de que a minha vida será ainda mais bela do que antes. A vida é mais forte que a morte, pois a vida se alimenta da morte!

Ela se calou, olhou para seu público e engoliu as últimas migalhas do bolo.

As pessoas em volta aplaudiam e D'Ardelo se aproximou de La Franck como se quisesse beijá-la solenemente em nome de todos. Mas ela não o viu e, sempre com a mão erguida para o teto, a pluminha entre o polegar e o indicador, lentamente, em ritmo dançante, saltitando delicadamente, dirigiu-se para a saída.

Ramon vai embora

Maravilhado, Ramon olhou para a cena e sentiu o riso renascer em seu corpo. O riso? O bom humor hegeliano enfim o tinha notado lá de cima e resolvera acolhê-lo? Não seria um apelo para que ele capturasse aquele riso e o guardasse com ele pelo maior tempo possível?

Seu olhar furtivo recaiu sobre D'Ardelo. Durante toda a noite conseguira evitá-lo. Deveria por educação despedir-se dele? Não! Ele não iria arruinar o grande momento único do seu bom humor! Era preciso se retirar com a máxima rapidez.

Contente e completamente embriagado, desceu a escada, saiu à rua e procurou um táxi. De quando em quando deixava escapar uma gargalhada.

A árvore de Eva

Ramon procurava um táxi e Alain estava sentado no assoalho de seu apartamento, encostado na parede, com a cabeça baixa; talvez cochilando. Uma voz feminina o acordou:

— Gosto de tudo que você já me contou, gosto de tudo que você inventa, e não tenho nada a acrescentar. A não ser, talvez, a respeito do umbigo. Para você, o modelo da mulher sem umbigo é um anjo. Para mim, é Eva, a primeira mulher. Ela não nasceu de um ventre, mas de um capricho, um capricho do Criador. Foi de sua vulva, a vulva de uma mulher sem umbigo, que saiu o primeiro cordão umbilical. Se eu for acreditar na Bíblia, saíram dela ainda outros cordões, um pequeno homem ou uma pequena mulher ligados um ao outro. Os corpos dos homens ficavam sem continuação, completamente inúteis, enquanto do sexo de cada mulher saía outro cordão, tendo na ponta outra mulher ou outro homem, e tudo isso, repetido milhões e milhões de vezes, se transformou numa imensa árvore, uma árvore formada por uma infinidade de corpos, uma árvore cuja ramagem toca o céu. E imagine você que essa árvore gigantesca fica enraizada na vulva de uma única pequena mulher, da primeira mulher, da pobre Eva sem umbigo.

"Eu, quando fiquei grávida, me via como uma parte dessa árvore, suspensa num de seus cordões, e você, ainda não nascido, eu te imaginava pairando no vazio, preso ao cordão saído do meu corpo, e desde esse momento eu sonhei com o assassino que, lá embaixo, degola a mulher sem umbigo, imaginei seu corpo que agoniza, morre, se decompõe, de tal modo que toda essa imensa árvore que brotou dela, ficando de repente sem raízes, sem base, começa a cair, eu vi a infinidade de seus ramos cair como uma chuva gigante e, me entenda bem, não foi com o fim da história humana que eu sonhei, com a abolição do futuro, não, não, o que eu desejei foi o total desaparecimento dos homens com seu futuro e seu passado, com seu começo e seu fim, com toda a duração de sua existência, com toda a sua memória, com Nero e Napoleão, com Buda e Jesus, desejei o aniquilamento total da árvore enraizada no pequeno ventre sem umbigo de uma primeira mulher tola que não sabia o que fazia nem os horrores que iria nos custar seu miserável coito, que certamente não lhe dera o menor prazer..."

A voz da mãe calou-se, Ramon parou um táxi, e Alain, encostado na parede, voltou a cochilar.

SEXTA PARTE
A queda dos anjos

Adeus a Mariana

Depois que os últimos convidados se retiraram, Charles e Calibã voltaram a guardar suas roupas brancas na maleta para de novo se tornarem pessoas comuns. Tristonha, a portuguesa os ajudou a recolher as travessas, os talheres, as garrafas, e reunir tudo num canto da cozinha para que os funcionários levassem embora no dia seguinte. Tendo a melhor intenção de ser útil, não saía de perto deles, de modo que os dois amigos, muito cansados para continuar a emitir ridículas palavras malucas, não conseguiam encontrar um só segundo de folga, um só instante para trocarem uma ideia razoável em francês.

Desprovido de sua roupa branca, Calibã apareceu para a portuguesa como um Deus que descera à Terra para se tornar um simples homem, com quem até mesmo uma pobre empregada poderia falar normalmente.

— Você realmente não entende nada do que eu digo? — indagou ela (em francês).

Calibã respondeu qualquer coisa (em paquistanês),

muito lentamente, articulando cuidadosamente cada sílaba, o olhar mergulhado nos olhos dela.

Ela o escutou atentamente como se, pronunciada devagar, aquela língua pudesse se tornar mais compreensível. Mas teve que reconhecer sua derrota:

— Mesmo que você fale lentamente, não entendo nada — disse, infeliz. Depois, dirigindo-se a Charles: — Você pode lhe dizer alguma coisa na língua dele?

— Só as frases mais simples sobre coisas de cozinha.

— Sei — sussurrou ela.

— Ele te agrada? — perguntou Charles.

— Agrada — disse ela, completamente enrubescida.

— Que posso fazer por você? Devo dizer isso a ele?

— Não — respondeu ela, balançando violentamente a cabeça. — Diga a ele, diga a ele... — Refletiu: — Diga a ele que ele deve se sentir muito sozinho aqui, na França. Muito sozinho. Gostaria de dizer, se ele precisar de alguma coisa, de uma ajuda, ou mesmo se precisar comer... que eu poderia...

— Como você se chama?

— Mariana.

— Mariana, você é um anjo. Um anjo que apareceu no meio da minha viagem.

— Eu não sou um anjo.

De repente agitado, Charles concordou:

— Também espero que não. Pois é só no fim que eu vejo um anjo. E quero adiar esse fim o máximo possível.

Pensando em sua mãe, ele esqueceu o que Mariana lhe pedira; tornou a lembrar quando ela insistiu com voz suplicante:

— Pedi, senhor, que dissesse a ele...

— Ah, é mesmo — disse Charles, e dirigiu alguns sons absurdos a Calibã.

Este se aproximou da portuguesa. Beijou-a na boca, mas a moça manteve os lábios bem fechados e o beijo deles foi de uma castidade intransigente. Depois ela fugiu correndo.

Esse pudor tornou-os nostálgicos. Em silêncio, desceram a escada e sentaram-se no carro.

— Calibã! Acorda! Ela não é para você!

— Sei disso, mas deixe que eu me lamente. Ela é cheia de bondade e eu também gostaria de fazer alguma coisa boa para ela.

— Mas você não pode fazer nada de bom para ela. Com sua presença, só poderia lhe fazer mal — disse Charles, arrancando com o carro.

— Sei disso. Mas não posso fazer nada. Ela me fez ficar nostálgico. Nostálgico da castidade.

— Quê? Da castidade?

— É. Apesar da minha estúpida fama de marido infiel sinto uma nostalgia insaciável da castidade! — E acrescentou: — Vamos para a casa de Alain!

— Ele já está dormindo.

— Vamos acordá-lo. Estou com vontade de beber. Com você e com ele. De brindar à glória da castidade.

A garrafa de armanhaque em sua orgulhosa altura

Um barulho de buzina, agressivo e demorado, subiu da rua. Alain abriu a janela. Embaixo, Calibã bateu a porta do carro e gritou:

— Somos nós! Podemos subir?

— Sim! Subam!

Ainda na escada, Calibã berrou:

— Tem alguma coisa para beber na sua casa?

— Não estou te reconhecendo! Você nunca foi de beber! — disse Alain, abrindo a porta do apartamento.

— Hoje é uma exceção! Quero brindar à castidade! — disse Calibã, entrando no apartamento, seguido de Charles.

Depois de três segundos de hesitação, Alain voltou a agir com naturalidade:

— Se você quer realmente brindar à castidade, terá uma oportunidade ideal...

E fez um gesto em direção ao armário coroado pela garrafa.

— Alain, preciso telefonar — disse Charles; e para

poder falar sem testemunhas, desapareceu na entrada e fechou a porta atrás de si.

Calibã contemplou a garrafa em cima do armário:

— Um armanhaque!

— Coloquei lá em cima para que ela ficasse num trono como uma rainha — disse Alain.

— De que ano é? — Calibã tentou ler o rótulo, depois, com admiração: — Ah, não! Não é possível!

— Abra — ordenou Alain.

Calibã pegou uma cadeira e subiu nela. Mas, mesmo em pé na cadeira, mal conseguia tocar no fundo da garrafa, inacessível em sua orgulhosa altura.

O mundo segundo Schopenhauer

Cercado dos mesmos camaradas à cabeceira da mesma mesa grande, Stálin se vira para Kalinin:

— Acredite, meu caro, eu também estou certo de que a cidade do célebre Immanuel Kant continuará a ser sempre Kaliningrado. Como padrinho de sua cidade natal, poderia você nos explicar qual era a ideia mais importante de Kant?

Kalinin não sabe nada sobre isso. Assim, segundo seu velho hábito, arrasado pela ignorância deles, Stálin responde ele mesmo:

— A ideia mais importante de Kant, camaradas, é a "coisa em si", o que se diz em alemão: *Ding an sich*. Kant pensava que, por detrás de nossas representações, encontra-se uma coisa objetiva, um *Ding*, que não podemos conhecer mas que, apesar disso, é real. Mas essa ideia é falsa. Não existe nada de real por detrás de nossas representações, nenhuma "coisa em si", nenhum *Ding an sich*.

Todos escutam, desamparados, e Stálin continua:

— Schopenhauer ficou mais perto da verdade. Qual era, camaradas, a grande ideia de Schopenhauer?

Todos evitam o olhar irônico do examinador, que, segundo seu velho hábito, acaba respondendo ele mesmo:

— A grande ideia de Schopenhauer, camaradas, é que o mundo é apenas representação e vontade. Isso quer dizer que por detrás do mundo tal como o vemos não existe nada de objetivo, nenhum *Ding an sich*, e que, para fazer existir essa representação, para torná-la real, deve haver nela uma vontade; uma vontade enorme que a imponha.

Timidamente, Jdanov protesta:

—Ióssif, o mundo como representação! Toda a sua vida você nos obrigou a afirmar que essa era uma mentira da filosofia idealista da classe burguesa!

Stálin:

— Qual é, camarada Jdanov, a primeira propriedade de uma vontade?

Jdanov se cala e Stálin responde:

— Sua liberdade. Ela pode afirmar aquilo que ela quer. Pois bem. A verdadeira questão é esta: existem tantas representações do mundo quanto pessoas sobre o planeta; isso cria inevitavelmente o caos; como pôr ordem nesse caos? A resposta é clara: impondo ao mundo inteiro uma única representação. E ela só pode ser imposta por uma única vontade, uma única imensa vontade, uma vontade acima de todas as vontades. Foi o que fiz, o quanto minhas forças permitiram. E asseguro-lhes que sob o domínio de uma grande vontade as pessoas acabam acreditando em qualquer coisa! Ah, camaradas, em qualquer coisa! — E Stálin ri, com felicidade na voz.

Lembrando-se da história das perdizes, olha maliciosamente para seus colaboradores, e sobretudo para Khruschóv, pequeno e redondo, que nesse momento está com as bochechas vermelhas e ousa, mais uma vez, ser corajoso:

— No entanto, camarada Stálin, mesmo que elas tenham acreditado em qualquer coisa que viesse de você, hoje elas não acreditam mais em nada.

Um soco na mesa que ressoará por toda parte

— Você compreendeu tudo — responde Stálin: — elas deixaram de acreditar em mim. Pois minha vontade afrouxou. Minha pobre vontade que eu investi totalmente nesse sonho que o mundo inteiro começou a levar a sério. Sacrifiquei por isso todas as minhas forças, sacrifiquei a mim mesmo. E peço que me respondam, camaradas: por quem eu me sacrifiquei?

Estupefatos, os camaradas nem ousam abrir a boca.

Ele mesmo, Stálin, responde:

— Eu me sacrifiquei, camaradas, pela humanidade.

Como que aliviados, todos aprovam essas grandes palavras balançando a cabeça. Kaganovitch chega até a aplaudir.

— Mas o que é a humanidade? Não é nada de objetivo, não é senão minha representação subjetiva, a saber: é aquilo que pude ver à minha volta com meus próprios olhos. E o que foi que eu vi todo esse tempo com meus próprios olhos, camaradas? Eu vi vocês; vocês! Lembram dos toaletes onde vocês se fechavam para vociferar contra minha história das vinte e quatro perdizes? Eu me divertia muito no corredor ouvindo-os gritar, mas ao mesmo tempo pensava: foi por esses imbecis que eu desperdicei todas as minhas forças? Foi por eles que eu vivi? Por esses miseráveis? Por esses embrutecidos tão exageradamente ordinários? Por esses Sócrates de mictórios? E, pensando em vocês, eu sentia minha vontade enfraquecer, exaurir-se, afrouxar, e o sonho, nosso belo sonho, não sendo mais sustentado pela minha vontade, desmoronou como uma imensa construção cujos pilares foram quebrados.

E para ilustrar esse desmoronamento, Stálin faz cair seu punho sobre a mesa, que treme.

A queda dos anjos

O soco na mesa de Stálin ressoa por muito tempo na cabeça deles. Brejnev olha para a janela e não consegue se conter. Não pode acreditar no que vê: um anjo está suspenso acima dos telhados, com as asas abertas. Ele se levanta de sua cadeira:

— Um anjo, um anjo!

Os outros também se levantam:

— Um anjo? Eu não estou vendo!

— É, sim! Lá em cima!

— Meu Deus, mais um! Ele está caindo! — sussurra Beria.

— Idiotas, vocês ainda verão cair muitos outros — diz Stálin.

— Um anjo é um sinal! — proclama Khruschóv.

— Um sinal? Mas um sinal de quê? — sussurra Brejnev, paralisado de medo.

O velho armanhaque escorre pelo chão

Com efeito, essa queda é sinal de quê? De uma utopia assassinada, depois da qual não haverá mais nenhuma outra? De uma época que não deixará mais traços? Dos livros, dos quadros jogados no vazio? Da Europa, que não será mais a Europa? Das gozações que não farão mais ninguém rir?

Alain não se fazia essas perguntas, assustado que estava vendo Calibã, que, com a garrafa na mão, acabava de cair da cadeira. Debruçou-se sobre seu corpo, que jazia de costas e não se mexia. Sozinho, a garrafa quebrada, o velho (ah, o muitíssimo velho) armanhaque escorria pelo assoalho.

Um desconhecido se despede da amante

No mesmo instante, do outro lado de Paris, uma bela mulher acordava em sua cama. Ela também ouvira um som forte e breve como um soco numa mesa; detrás de seus olhos fechados, lembranças de sonhos ainda estavam vivas; semidesperta, ela recordava que eram sonhos eróticos; seu aspecto concreto já tinha se atenuado, mas ela se sentia de bom humor, pois, embora não fossem fascinantes ou inesquecíveis, aqueles sonhos eram indubitavelmente agradáveis.

Depois, ela ouviu:

— Foi muito bonito.

E só então abriu os olhos e viu um homem perto da porta, prestes a partir. A voz era estridente, débil, fina, frágil, e por isso semelhante ao próprio homem. Ela o conhecia? Ah, sim; ela se lembrava vagamente: um coquetel na casa de D'Ardelo onde estava também o velho Ramon, que era apaixonado por ela; para escapar dele, deixara-se acompanhar por um desconhecido; recordava que ele era muito gentil, a tal ponto discreto, quase invisível, que ela nem sequer era capaz de evocar o momento em que tinham se separado. Mas, meu Deus, eles tinham se separado?

— Realmente muito bonito, Julie — repetiu ele perto da porta, e ela pensou, ligeiramente espantada, que aquele homem tinha por certo passado a noite na mesma cama que ela.

O mau sinal

Quaquelique ainda ergueu a mão para o último adeus, depois desceu para a rua, sentou-se no seu modesto carro, enquanto, num apartamento do outro lado de Paris, Calibã, ajudado por Alain, se levantava do chão.

— Aconteceu alguma coisa?

— Não, nada. Está tudo em ordem. Menos o armanhaque... Acabou. Desculpe, Alain!

— É o meu papel ser desculpante — disse Alain —, o erro foi meu de te deixar subir nessa velha cadeira quebrada. — Depois, preocupado: — Mas, meu amigo, você está mancando!

— Só um pouquinho, mas não é grave.

Nesse momento, Charles voltou da entrada e fechou seu telefone celular. Ele viu Calibã bizarramente curvado, ainda com a garrafa quebrada na mão:

— Que foi que aconteceu?

— Quebrei a garrafa — anunciou-lhe Calibã. — Não tem mais armanhaque. Um mau sinal.

— Sim, um péssimo sinal. Preciso ir para Tarbes sem demora — disse Charles. — Minha mãe está agonizando.

Stálin e Kalinin desaparecem

Quando um anjo cai, é certamente um mau sinal. Na sala do Kremlin, com os olhos fixos nas janelas, todos estão com medo. Stálin sorri e, aproveitando que ninguém olha para ele, afasta-se em direção a uma pequena porta discreta num canto da sala. Abre a porta e se encontra num quartinho. Lá, tira seu belo uniforme oficial e veste uma parca, velha e gasta, depois apanha um comprido fuzil de caça. Assim, disfarçado de caçador de perdizes, volta para a sala e se dirige à grande porta que leva ao corredor. Todo mundo tem o olhar fixo nas janelas e ninguém o vê. No último instante, quando vai colocar a mão na maçaneta da porta, como se quisesse lançar um último olhar malicioso para os camaradas, ele se detém por um segundo. É então que seus olhos cruzam com os de Khruschóv, que começa a gritar:

— É ele! Estão vendo sua roupa? Vai fazer todo mundo pensar que ele é um caçador! Vai nos deixar sozinhos em apuros! Mas é ele o culpado! Nós somos todos vítimas! Vítimas dele!

Stálin já está longe no corredor e Khruschóv bate na parede, na mesa, sapateia com os pés calçados em enormes botas ucranianas mal engraxadas. Ele incita os outros a se indignarem também e em seguida todos gritam, vociferam, sapateiam, saltam, golpeiam a parede e a mesa com os punhos, martelam o chão com suas cadeiras, de tal modo que a sala ressoa um barulho infernal. É uma barulheira como outrora quando, durante as pausas, eles todos se reuniam nos toaletes, diante dos mictórios coloridos, ornados de flores em cerâmica.

Todos estão lá como outrora; só Kalinin, discretamente, afastou-se. Perseguido por uma terrível vontade de urinar, ele perambula pelos corredores do Kremlin, mas, incapaz de encontrar um mictório, acaba saindo e correndo pelas ruas.

SÉTIMA PARTE
A festa da insignificância

Diálogo na moto

No dia seguinte, por volta das onze horas da manhã, Alain tinha um encontro com seus amigos Ramon e Calibã em frente ao museu perto do Jardim de Luxemburgo. Antes de sair do apartamento, virou-se para dizer "até logo" à mãe na fotografia. Depois, saiu para a rua e se dirigiu à moto estacionada perto da casa dele. Ao subir na moto, teve a vaga impressão de sentir a presença de um corpo às suas costas. Como se Madeleine estivesse com ele e, levemente, o tocasse.

Essa ilusão o emocionou; parecia expressar o amor que sentia pela namorada; ele arrancou.

Depois ouviu uma voz atrás de si:

— Ainda queria falar com você.

Não, não era Madeleine. Ele reconheceu a voz de sua mãe.

A rua estava engarrafada e ele ouviu:

— Eu quero ter certeza de que não existe nenhum mal-entendido entre mim e você, que nós nos entendemos bem…

Ele foi obrigado a frear. Um pedestre tinha se metido a atravessar a rua e virou-se para ele com gestos ameaçadores.

— Vou ser franca. Sempre achei horrível mandar para o mundo alguém que não tivesse pedido.

— Eu sei — disse Alain.

— Olhe ao seu redor: de todos que você vê, ninguém está aqui por vontade própria. Claro, o que acabo de dizer é a verdade mais banal de todas as verdades. A tal ponto banal, e a tal ponto essencial, que deixamos de vê-la e de ouvi-la.

Ele continuou seu caminho entre um caminhão e um carro que o apertavam dos dois lados havia alguns minutos.

— Todo mundo fala sem parar sobre os direitos humanos. Que piada! Tua existência não se fundamenta em nenhum direito. Nem mesmo acabar com sua vida por sua própria vontade eles te permitem, esses cavaleiros dos direitos humanos.

A luz vermelha acendeu em cima do cruzamento. Ele parou. Os pedestres dos dois lados da rua começaram a caminhar para a calçada em frente.

E a mãe continuou:

— Olhe para todos eles! Olhe! Pelo menos a metade das pessoas que você vê é feia. Isso também faz parte dos direitos humanos, ser feio? E você sabe o que é carregar sua feiura a vida inteira? Sem o menor descanso? Seu sexo também, você não escolheu. Nem a cor dos seus olhos. Nem seu século. Nem seu país. Nem sua mãe. Nada do que conta. Os direitos que um homem pode ter dizem respeito apenas a futilidades pelas quais não existe razão alguma para lutar ou escrever famosas Declarações!

Ele recomeçou a andar e a voz da mãe amansou:

— Você está aí tal como é porque fui fraca. Foi culpa minha. Peço que me desculpe.

Alain calou-se, depois disse com voz calma:

— Do que você se sente culpada? De não ter tido força para impedir meu nascimento? Ou de não ter se reconciliado com minha vida, que, por acaso, não é assim tão ruim?

Depois de um silêncio, ela respondeu:

— Talvez você tenha razão. Sou, portanto, duplamente culpada.

— Sou eu que tenho que me desculpar — disse Alain. — Caí na sua vida como um excremento. Fui atrás de você até na América.

— Pare com suas desculpas! O que você sabe da minha vida, meu pequeno idiota! Permite que eu te chame de idiota? É, não se zangue, para mim você não passa de um idiota. E sabe qual é a origem da sua idiotice? Sua bondade! Sua bondade ridícula!

Eles chegaram ao Jardim de Luxemburgo. Ele estacionou a moto.

— Não reclame, e deixe que eu me desculpe — disse ele. — Eu sou um desculpante. Foi assim que vocês me fabricaram, você e ele. Como desculpante me sinto feliz quando nós nos desculpamos um ao outro, você e eu. Não é bonito se desculpar um ao outro?

Depois, foram para o museu:

— Acredite em mim — disse ele —, concordo com tudo que você acaba de me dizer. Com tudo. Não é bonito concordarmos, você e eu? Não é bonita nossa aliança?

— Alain! Alain! — Uma voz de homem interrompeu a conversa deles: — Você está me olhando como se jamais tivesse me visto!

Ramon discute com Alain sobre a época dos umbigos

Sim, era Ramon.

— Hoje de manhã a mulher de Calibã me telefonou — disse ele a Alain. — Ela me contou da festa. Sei tudo. Charles foi para Tarbes. A mãe dele está agonizando.

— Sei disso — disse Alain. — E Calibã? Quando ele estava em minha casa, caiu de uma cadeira.

— Ela me disse. E não foi uma queda tão sem importância. Segundo ela, ele tem dificuldade para andar. Sente dor. Agora está dormindo. Queria ver Chagall conosco. Não vai ver. Aliás, nem eu. Não suporto esperar numa fila. Olha!

Fez um gesto na direção da multidão que caminhava lentamente para a entrada do museu.

— A fila não está tão comprida — disse Alain.

— Talvez não tão comprida, mas mesmo assim desanimadora.

— Quantas vezes você já veio e desistiu?

— Já vim três vezes. De modo que, na verdade, não venho aqui para ver Chagall, mas para constatar que a cada semana as filas estão maiores, portanto o planeta está cada vez mais populoso. Olhe para eles! Você acha que, de uma hora para outra, começaram a gostar de Chagall? Estão dispostos a ir a qualquer lugar, a fazer qualquer coisa, apenas para matar o tempo com o qual não sabem o que fazer. Não conhecem nada, portanto se deixam conduzir. São soberbamente conduzíveis. Desculpe. Estou de mau humor. Bebi muito ontem. Realmente bebi muito.

— Então, o que quer fazer?

— Vamos passear no parque! O tempo está bonito. Eu sei, no domingo tem mais gente. Mas tudo bem. Olha! O sol!

Alain não reclamou. Com efeito, a atmosfera no parque estava tranquila. Havia os que corriam, havia transeuntes, havia, no gramado, grupos de pessoas que faziam movimentos bizarros e lentos, havia os que tomavam sorvete, havia, atrás dos alambrados, aqueles que jogavam tênis...

— Aqui — disse Ramon — me sinto melhor. Claro, a uniformidade reina em toda parte. Mas, neste parque, ela dispõe de uma escolha maior de uniformes. Assim você pode guardar a ilusão da sua individualidade.

— A ilusão da individualidade... É curioso: tive, há alguns minutos, uma estranha conversa.

— Uma conversa? Com quem?

— E depois, o umbigo...

— Que umbigo?

— Ainda não falei disso com você? Há algum tempo, penso muito sobre o umbigo...

Como se um diretor invisível tivesse providenciado, duas garotas, com o umbigo elegantemente aparecendo, passaram por eles.

Ramon disse apenas:

— Com efeito.

E Alain:

— Passear assim com o umbigo descoberto é a moda atual. Dura há pelo menos dez anos.

— Vai passar como todas as modas.

— Mas não esqueça que a moda do umbigo inaugurou o novo milênio! Como se alguém, nessa data simbólica, houvesse levantado uma cortina que, durante séculos, tivesse nos impedido de ver o essencial: que a individualidade é uma ilusão!

— Sim, sem dúvida, mas qual a relação com o umbigo?

— No corpo erótico da mulher, existem alguns lugares de ouro: sempre pensei que existissem três: as coxas, a bunda, os seios.

Ramon refletiu e:

— Por que não... — disse.

— Depois, um dia, compreendi que era preciso acrescentar um quarto: o umbigo.

Depois de um minuto de reflexão, Ramon concordou:

— Sim. Talvez.

E Alain:

— As coxas, os seios, a bunda têm em cada mulher uma forma diferente. Esses três lugares de ouro não são apenas excitantes, eles exprimem ao mesmo tempo a individualidade de uma mulher. Você não pode se enganar sobre a bunda de quem ama. Você reconhecerá a bunda amada no meio de uma centena de outras. Mas não poderá identificar pelo umbigo a mulher que ama. Todos os umbigos são parecidos.

Ao menos vinte crianças, rindo e gritando, passaram correndo pelos dois amigos.

Alain continuou:

— Cada um desses quatro lugares de ouro representa uma mensagem erótica. E eu me pergunto qual é a mensagem erótica que o umbigo evoca. — Depois de uma pausa: — Uma coisa é evidente: ao contrário das coxas, da bunda, dos seios, o umbigo não diz nada sobre a mulher que o carrega, fala de uma coisa que não é essa mulher.

— De quê?

— Do feto.

— Do feto, claro — concordou Ramon.

E Alain:

— O amor, outrora, era a festa do individual, do inimitável, a glória do que é único, daquilo que não suporta nenhuma repetição. Mas o umbigo não só não se revolta contra a repetição, ele é um apelo às repetições! E nós vamos viver, em nosso milênio, sob o signo do umbigo. Sob esse signo, nós somos todos um como o outro, soldados do sexo, com o mesmo olhar fixo não na mulher amada, mas no mesmo pequeno buraco no meio do ventre que representa o único sentido, o único objetivo, o único futuro de todo desejo erótico.

De repente um encontro inesperado interrompeu a conversa. Em direção a eles, na mesma aleia, vinha D'Ardelo.

Chega D'Ardelo

Ele também tinha bebido muito, dormira mal e agora ia restaurar as energias com um passeio pelo Jardim de Luxemburgo. A aparição de Ramon fez com que a princípio ficasse embaraçado. Ele o convidara para o seu coquetel apenas por educação, porque encontrara dois empregados prestativos para a festa. Mas tendo em vista que aquele aposentado não tinha mais nenhuma importância para ele, D'Ardelo não havia nem mesmo encontrado um breve instante para acolhê-lo no coquetel e lhe dar as boas-vindas. Sentindo-se agora culpado, abriu os braços e exclamou:

— Ramon! Meu amigo!

Ramon lembrou-se de ter sumido do coquetel sem nem mesmo dizer adeus ao antigo colega. Mas a saudação exuberante de D'Ardelo aliviou o peso da sua consciência; ele também abriu os braços e exclamou:

— Que prazer, meu amigo!

Apresentou-lhe Alain e o convidou cordialmente a se juntar a eles.

D'Ardelo se recordava bem de que fora naquele mesmo parque que uma súbita inspiração o levara a inventar a mentira bizarra de sua doença mortal. Agora, que fazer? Não podia se contradizer; não podia continuar a estar gravemente doente; aliás, ele não achava isso muito embaraçoso, depressa compreendeu que não tinha nenhuma necessidade de por essa razão refrear seu bom humor, pois as brincadeiras engraçadas e alegres tornam um homem tragicamente doente ainda mais interessante e admirável.

Foi, portanto, num tom leve e divertido que falou diante de Ramon e seu amigo sobre aquele parque que fazia parte de sua paisagem mais íntima, de seu "refúgio", como repetiu várias vezes; mencionou-lhes todas as estátuas de poetas, de pintores, de ministros, de reis:

— Vejam — disse —, a França do passado continua viva!

Depois, com uma amável ironia jovial, mostrou as estátuas brancas das grandes damas da França, rainhas, princesas, regentes, erguidas cada uma sobre um grande pedestal, com toda a sua grandeza, dos pés à cabeça; afastadas uma da outra por dez ou quinze metros, criavam juntas um círculo muito grande que se destacava em torno de um belo lago.

Mais adiante, com grande barulho, vinham de diversas direções grupos de crianças.

— Ah, as crianças! Estão ouvindo seu riso? — sorriu D'Ardelo. — Hoje é uma festa, esqueci qual. Uma festa de criança, enfim.

De repente, ficou atento:

— Mas o que está acontecendo ali?

Chegam um caçador e um mijão

Na grande aleia, depois da avenida do Observatório, um homem de cerca de cinquenta anos, bigodudo, vestindo uma parca velha e gasta, com um comprido fuzil de caça pendurado no ombro, corre em direção ao círculo das grandes damas de mármore. Ele gesticula e grita. À sua volta, os transeuntes param e olham para ele com espanto e simpatia. Sim, com simpatia, pois o rosto com bigode tem alguma coisa de pacífico, o que refresca a atmosfera do jardim com um sopro idílico vindo de tempos passados. Ele evoca a imagem de um conquistador, de um sedutor de vilarejo, de um aventureiro ainda mais adorável porque já está um pouco velho e ajuizado. Seduzida por seu charme campestre, por sua bondade viril, por sua aparência folclórica, a multidão lhe dirige sorrisos aos quais ele responde, contente e afável.

Depois, sempre correndo, ergue a mão na direção de uma estátua. Todo mundo segue seu gesto e avista outro homem, este muito velho, lamentavelmente magro, com um pequeno cavanhaque pontudo, que, querendo se proteger dos olhares indiscretos, se esconde atrás do amplo pedestal de uma grande dama de mármore.

— Vejam, vejam! — diz o caçador, e, posicionando o fuzil no ombro, atira na direção da estátua.

É Maria de Médici, a rainha de França, famosa por seu rosto velho, gordo, feio, arrogante. O tiro de fuzil arranca-lhe o nariz, de modo que ela parece ainda mais velha, mais feia, mais gorda, mais arrogante, enquanto o velho que tinha se escondido atrás do pedestal da estátua começa a correr para longe, assustado, e acaba escapando dos olhares indiscretos, para se ocultar atrás de Valentina de Milão, duquesa de Orléans (essa muito mais bonita).

As pessoas ficam a princípio perturbadas com aquele tiro de fuzil inesperado e com o rosto de Maria de Médici sem nariz; não sabendo como reagir, olham para a esquerda e para a direita, esperando um sinal esclarecedor: como interpretar o comportamento do caçador? deveria ser considerado condenável ou divertido? deveriam eles vaiar ou aplaudir?

Como se adivinhasse o embaraço delas, o caçador gritou:

— Urinar no mais célebre parque francês é proibido!

Depois, olhando para o seu pequeno público, desata a rir, e é um riso tão alegre, tão livre, tão inocente, tão rústico, tão fraternal, tão contagioso, que todo mundo em torno, como que aliviado, também começa a rir.

O velho de cavanhaque pontudo sai então de trás da estátua de Valentina de Milão, abotoando a braguilha; seu rosto expressa a felicidade do alívio.

No rosto de Ramon se instala o bom humor.

— Esse caçador não te lembra alguma coisa? — pergunta ele a Alain.

— Claro: Charles.

— Sim. Charles está conosco. É o último ato de sua peça de teatro.

A festa da insignificância

Enquanto isso, cerca de cinquenta crianças se distanciam da multidão e se dispõem em semicírculo como um coral. Alain dá alguns passos na direção delas, curioso de ver o que vai acontecer, e D'Ardelo diz a Ramon:

— Você vê, a animação aqui é excelente. Esses dois tipos são perfeitos! Certamente atores sem contrato. Desempregados. Olhe! Eles não precisam dos palcos de um teatro. As aleias de um parque lhes são suficientes. Eles não renunciam. Querem ser ativos. Lutam para viver.

Depois, lembra-se de sua grave doença e, para evocar a sorte trágica, acrescenta em voz mais baixa:

— Eu também, eu luto.

— Eu sei, amigo, e admiro sua coragem — diz Ramon, e, desejando apoiá-lo na sua infelicidade, acrescenta: — Há muito tempo, D'Ardelo, eu queria lhe falar de uma coisa. Do valor da insignificância. Naquela época, eu pensava sobretudo em seus relacionamentos com as mulheres. Queria lhe falar então de Quaquelique.

Meu grande amigo. Você não o conhece. Eu sei. Pois bem. Agora, a insignificância me aparece sob um ponto de vista totalmente diferente de então, sob uma luz mais forte, mais reveladora. A insignificância, meu amigo, é a essência da existência. Ela está conosco em toda parte e sempre. Ela está presente mesmo ali onde ninguém quer vê-la: nos horrores, nas lutas sangrentas, nas piores desgraças. Isso exige muitas vezes coragem para reconhecê-la em condições tão dramáticas e para chamá-la pelo nome. Mas não se trata apenas de reconhecê-la, é preciso amar a insignificância, é preciso aprender a amá-la. Aqui, neste parque, diante de nós, olhe, meu amigo, ela está presente com toda a sua evidência, com toda a sua inocência, com toda a sua beleza. Sim, sua beleza. Como você mesmo disse: a animação perfeita... e completamente inútil, as crianças rindo... sem saber por quê, não é lindo? Respire, D'Ardelo, meu amigo, respire essa insignificância que nos cerca, ela é a chave da sabedoria, ela é a chave do bom humor...

Justo nesse momento, alguns metros adiante, o homem de bigode pega pelos ombros o velho de cavanhaque e se dirige às pessoas ao redor com palavras que pronuncia com uma bela voz solene:

— Camaradas! Meu velho amigo jurou-me por sua honra que nunca mais ia urinar sobre as grandes damas da França!

Em seguida, mais uma vez, desata a rir, as pessoas aplaudem, gritam, e a mãe diz:

— Alain, estou feliz de estar aqui com você.

Depois sua voz se transforma num riso leve, calmo e suave.

— Você ri? — diz Alain, pois é a primeira vez que ele ouve o riso da mãe.

— Sim.

— Eu também, eu estou feliz — diz ele, emocionado.

D'Ardelo, em compensação, não diz uma palavra, e Ramon compreende que seu elogio da insignificância não agradou àquele homem tão ligado à seriedade das grandes verdades; ele decide se posicionar de outra forma:

— Eu vi vocês ontem, La Franck e você. Estavam bonitos, os dois.

Observa o rosto de D'Ardelo e constata que dessa vez suas palavras são muito mais bem recebidas. Esse sucesso o inspira e de repente lhe ocorre uma ideia, a ideia de uma mentira tão absurda quanto encantadora que ele decide agora transformar em presente, um presente para alguém que não tem mais muito tempo de vida:

— Mas, atenção, quando os vemos, tudo fica muito claro!

— Claro? O quê? — pergunta D'Ardelo com um prazer mal dissimulado.

— Claro que vocês são amantes. Não, não negue, eu entendi tudo. E não se preocupe, não existe homem mais discreto do que eu!

D'Ardelo mergulha seu olhar nos olhos de Ramon, nos quais, como num espelho, se reflete a imagem de um homem tragicamente doente e, no entanto, feliz, amigo de uma mulher célebre em quem ele jamais tocou e da qual, no entanto, se torna, de uma hora para outra, o amante secreto.

— Meu caro, meu amigo — diz ele, e abraça Ramon. Depois vai embora, com os olhos úmidos, feliz e alegre.

O coral de crianças já está formado num semicírculo perfeito e o maestro, um garoto de dez anos vestindo smoking, batuta na mão, se prepara para dar o sinal a fim de que o concerto tenha início.

Mas ele teve que esperar alguns minutos, pois uma pequena carruagem, pintada de vermelho e amarelo, puxada por dois pôneis, se aproxima com barulho. O bigodudo com sua parca velha e gasta ergue no alto o comprido fuzil de caça. O cocheiro, ele também um menino, obedece e para a carruagem. O bigodudo e o velho de cavanhaque sobem na carruagem, sentam-se, saúdam pela última vez o público que, encantado, agita os braços enquanto o coral de crianças começa a cantar *A Marselhesa*.

A pequena carruagem parte e por uma larga aleia deixa o Jardim de Luxemburgo e se afasta lentamente pelas ruas de Paris.

Sobre o autor

Milan Kundera nasceu na República Tcheca. Desde 1975, vive na França.

Obras de Milan Kundera publicadas pela Companhia das Letras

A arte do romance
A brincadeira
A cortina
A identidade
A ignorância
A insustentável leveza do ser
A lentidão
O livro do riso e do esquecimento
Risíveis amores
Um encontro
A valsa dos adeuses

1ª EDIÇÃO [2014] 9 reimpressões

ESTA OBRA FOI COMPOSTA PELA SPRESS EM SABON E IMPRESSA EM OFSETE PELA GEOGRÁFICA SOBRE PAPEL PÓLEN BOLD DA SUZANO S.A. PARA A EDITORA SCHWARCZ EM AGOSTO DE 2023

A marca FSC® é a garantia de que a madeira utilizada na fabricação do papel deste livro provém de florestas que foram gerenciadas de maneira ambientalmente correta, socialmente justa e economicamente viável, além de outras fontes de origem controlada.